합격으로 가는 지름길

임용 국악 실기

KB074579

태림스코어

  우리는 보편적으로 우리나라 음악을 국악이라고 말합니다. 그것은 서양음악(양악)이 국내에 보편화되면서 서양음악과 우리나라 음악을 구분하기 위한 것으로 쓰이고 있기 때문입니다. 우리 전통음악 중 민속악은 정악과 달리 악보 없이 구전으로 전승되어 온 까닭에 체계적인 접근이 어려웠던 환경과 절대권력의 왕조, 양반, 귀족 사회에서 민중의 개성 있는 예술가의 출현과 전통 존중의 풍토는 한계가 있었습니다. 또한, 역사적 격변으로 외압에 의한 무분별한 외래 문화의 유입은 우리 전통음악의 계승과 발전을 더욱 어렵게 하였습니다. 그럼에도 우리나라 음악은 많은 학자들과 예술가들의 체계적인 연구와 분석을 통해 우리만의 독특한 양식과 정서, 민족문화의 정체성을 확인하는 통로로서 매우 중요한 요소라는 점을 명확히 하고 있습니다. 따라서 우리나라 음악에 대한 올바른 이해와 적극적인 전승으로 시대에 맞는 음악으로 발전시켜야 하는 것은 현 시대를 살아가는 우리들의 의무이자 사명인 것입니다.

  이제 우리는 미래를 짊어지고 가야 하는 학생들에게 선입견 없는 음악의 세계를 심어 주어야 하는 과제를 가지고 있습니다. 다시 말하면, '우리는 어떠한 음악을 가꾸어 갈 것인가?'라는 물음에 답을 해야 합니다. 미국의 민족음악과 인류학으로 유명한 A. P. Merrian 교수는 저서 『민족음악학』에서 '인간은 음을 만들어 내는 구조를 이해하는 것보다도, 그 음을 훨씬 더 잘 알고 있다.'라고 하였습니다. 우리에게는 선조들로부터 물려받은 고귀한 유산이 있습니다. 이제 본 교재의 저자들과 예비 선생님들은 논리적인 질서를 바탕으로 우리나라의 음악 어법의 과학적이고 체계적인 이해와 객관적인 판단으로 음악의 계승과 발전을 이끌어갈 수 있도록 함께 노력해야 합니다.

  본 교재에서는 음악의 원리와 특징을 분명하게 이해하고 실기를 습득하는 데 있어서 정확한 언어와 발음, 장단의 개념과 분석, 바른 자세와 호흡 및 연주 방법 등의 핵심적인 내용을 체계적이고 명료한 설명으로 올바른 지식과 정보를 제공하고자 하였습니다. 또한 임용고시 실기 시험에서 출제 비중이 높은 내용과 필수 과목을 중심으로 내실을 향상시키는 데 집중하였습니다.

  예비 선생님들의 시험뿐만 아니라 교육 현장에서도 잘 활용되기를 바랍니다.

저자 김승우, 허봉수, 김예진

| 섹션별 구성 |

1. 임용 현장에서 자유곡으로 많이 연주되는 선곡 구성으로 완성도 높은 연주가 가능합니다.

2. 단소의 소리 내는 원리를 쉽게 설명하여 연습을 통해 명료한 음색의 연주가 가능합니다.

3. 기존 악보와 골격 부분만 제시한 쉬운 악보를 함께 수록하여 비교 연주가 가능하며, 골격 부분의 충분한 연습으로 어려운 선율에 대한 이해와 접근성이 용이합니다.

4. 자주 등장하는 선율을 발췌하여 초견 연습이 가능하도록 제시하였습니다.

1. 교재에 수록된 음악을 중심으로 장구 장단의 악보를 제시하였습니다.

2. 기존 단선보의 단점을 보완하여 악보를 읽고 연습하기에 용이합니다.

3. 장단별로 기본 장단과 변형 장단으로 구분하여 제시하였으며, 연습 방법을 구체적으로 설명하였습니다.

4. 장식음은 최대한 배제하고 주요 리듬을 중심으로 기초적인 악보 지식만 가지고도 쉽게 학습할 수 있습니다.

1. 악보의 적합성과 통일성을 위하여 음악 교과서의 악곡을 중심으로 구성하여 중·고등학교 교육 현장에서 활용 가능합니다.

2. 악곡의 정확한 이해를 위하여 각 악곡의 배경과 흐름을 제시하였습니다.

3. 토리의 특성을 올바르게 인식하고 노래 부를 수 있도록 아리랑을 제외한 악곡은 각 지역의 음악적 어법(토리)로 구분하였습니다.

차례

Ⅲ 민요편

단소 편

단소 편

1. 단소

가로로 부는 관악기를 '젓대', 세로로 부는 관악기를 '소(蕭, 퉁소 소)'라고 합니다. 단소는 '짧은 소'라는 뜻으로 단소의 기원은 정확히 알 수 없지만 『조선악기편(朝鮮樂器篇)』과 『이왕가악기첩(李王家樂器帖)』에 의하면 순조(1790~1834) 때 청나라로부터 들어와 궁중 음악에서 사용하였다고 전해집니다. 단소는 제5차 교육 과정부터 현재까지 초·중·고등학교에서 중요하게 학습되고 있습니다.

2. 단소의 종류

단소는 크기와 음의 높낮이, 쓰임에 따라 경제(京制)단소, 평조(平調)단소, 향제(鄕制)단소로 나뉩니다. 경제단소는 서울에서 사용되는 악기로 가곡의 평조와 계면조, 중광지곡, 천년만세, 남창시조 등에 사용되며 현재는 교육용 악기로 보급되고 있습니다. 평조단소는 경제단소 보다 길이가 길고 크며 평조회상과 가곡의 우조 등에서 사용됩니다. 향제단소는 지방의 풍류를 연주할 때 사용됩니다.

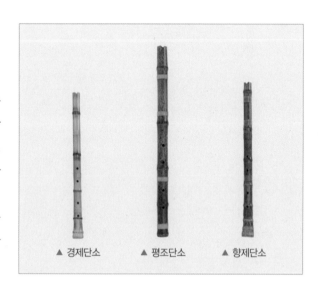

▲ 경제단소   ▲ 평조단소   ▲ 향제단소

3. 단소의 재료와 악기 고르는 법

단소의 주재료는 대나무로 보통 황죽 또는 오죽 등을 사용하지만 단풍나무, 흑단나무, 플라스틱으로 만든 단소도 사용됩니다. 대나무는 숫대와 암대 두 가지로 나뉘는데 둥근 모양의 숫대보다는 타원형의 납작한 암대가 연주하기 편합니다. 시중에 판매되는 양산성 대나무 단소는 대나무의 특성을 고려하지 않고 일괄적으로 생산되기 때문에 음정이 제각각인 경우가 있으므로 직접 시연해 보거나 전문가와 동행하여 구입하는 것이 좋습니다.

4. 단소 소리 내기

실기 시험을 볼 때는 소리가 크고 맑아야 합니다. 기초가 부족하면 소리가 뜻대로 나지 않으므로 꾸준한 연습을 통해 소리 내는 원리를 이해하고 이를 적용하여 연습하는 것이 중요합니다. 크고 맑은 소리를 연주하기 위해 꼭 필요한 연습을 다음과 같이 제시합니다.

1) 바른 자세

① 좋은 소리가 나는 입술의 모양과 단소의 위치를 기억합니다.

사람마다 입술의 모양과 위치가 다르기 때문에 자신에게 맞는 입술의 모양과 단소의 위치를 기억해야 합니다. 소리가 잘 나는 단소의 위치를 파악했다면 계속 연주하지 말고 단소를 내렸다가 다시 위치를 찾는 연습을 반복합니다.

② 거울을 보고 연습합니다.

좋은 소리를 내기 위해서는 취구 부분의 홈이 입술의 정확한 위치에 있어야 합니다. 오른손잡이는 홈이 오른쪽으로 쏠리고 왼손잡이는 홈이 왼쪽으로 쏠릴 수 있으므로 거울을 정면으로 바라보고 바른 자세를 확인하면서 연습합니다.

▲ 바른 취구의 위치

▲ 잘못된 취구의 위치

③ 고개를 과하게 들거나 숙이지 않습니다.

고개를 숙여서 연습하면 입술과 취구 사이의 간격이 좁아져서 탁성이 나고 소리가 크게 나지 않습니다. 입술과 악기 사이의 적당한 공간이 있어야 진동을 통해 큰 소리를 얻을 수 있으므로 거울을 정면으로 바라보고 고개를 살짝만 숙이면 팔이 자연스럽게 올라가는 바른 자세가 됩니다.

▲ 바른 자세

▲ 잘못된 자세

2) 바른 호흡으로 소리 내기

① 입김은 부드럽고 약해야 합니다.

초보자의 경우 입김을 강하게 불어 넣는 경우가 있습니다. 이는 좋은 소리를 낼 수 없고 금방 지치며 머리까지 아픈 현상이 나타납니다. 좋은 소리는 일정한 호흡이 중요하므로 오랫동안 연습하기 위해서는 입김을 부드럽고 약하게 내야 합니다.

② 입김은 취구 방향으로 부드럽게 불어 넣습니다.

단소 취구 부분의 홈을 향해 입김을 부드럽게 불어 넣어야 합니다.

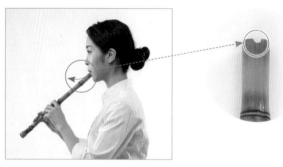

▲ 입김의 방향

③ 입술 모양이 변하지 않도록 합니다.

거울에 보이는 자신의 입술 모양을 그대로 유지하며 취구 방향으로 입김을 불어 넣어야 합니다. 입술의 모양이 살짝 변할 수는 있지만 입술을 옆으로 벌리거나 내밀면서 변형을 주면 좋은 소리가 나지 않습니다.

▲ 자연스러운 입술 모양

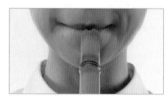

▲ 잘못된 입술 모양

④ 소리 낼 때 내쉬는 입김을 꾸준히 지속합니다.

입김을 짧게 '후- 후-'내지 말고 최소한 3박 이상 지속하는 연습이 중요합니다. 과하게 신경 쓰며 숨을 쉬지 말고 평소 숨을 쉴 때 들이마시는 만큼 마시고 내쉬는 것이 좋습니다.

⑤ 들숨은 코로 들이마시는 것이 좋습니다.

호흡을 입으로 하면 단소가 고정되지 않아 좋은 소리가 나는 단소의 위치가 변할 수 있으므로 들숨은 코로 마시고 입으로 내쉽니다.

3) 단소 고정하기

단소는 입김의 위치와 방향이 소리에 큰 영향을 미치기 때문에 단소가 움직이지 않도록 고정 시키는 것이 중요합니다. 단소의 위쪽은 아랫입술과 턱의 가운데로 고정하고 왼손의 약지와 오른손의 검지로 고정합니다. 손과 팔에 힘을 주면 운지가 불편해지기 때문에 힘을 빼고 악기를 가볍게 들어서 연주하면 안정적인 소리를 낼 수 있습니다.

▲ 단소 고정하기

5. 단소 운지법 익히기

단소의 지공은 뒷면에 1공, 앞면에 4공으로 되어 있습니다. 5공은 거의 사용하지 않고 주로 4개의 손가락을 사용하여 연주합니다.

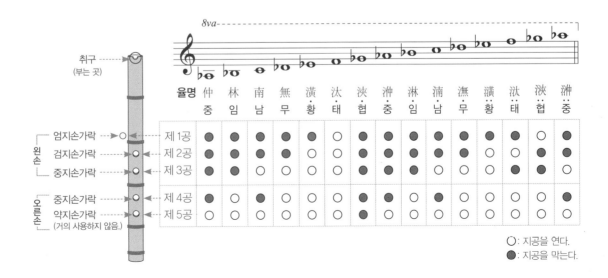

○: 지공을 연다.
●: 지공을 막는다.

6. 정간보 보는 법

정간보는 세종(1397~1450) 때 만들어진 동양 최초의 유량 악보(有量樂譜)입니다. 우물 정(井)자 모양 안에 음의 높낮이(율명)와 음의 길이(박자)가 표기되어 있습니다. 정간보를 읽는 순서는 위에서 아래로, 오른쪽에서 왼쪽으로 읽으며, 한 정간 안의 율명은 왼쪽에서 오른쪽으로 읽습니다.

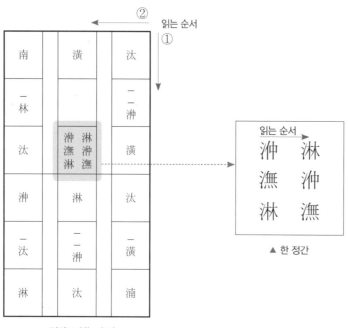

▲ 정간보 읽는 순서

▲ 한 정간

1) 정간보 박자(3분박 기준)

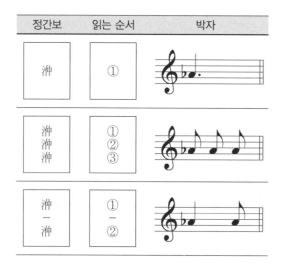

* 국악에는 3분박 악곡이 많아 3분박으로 설명합니다.

2) 정간보 약식 기호

정간보 부호는 약식 표기로써 율명 표기의 번거로움을 줄이기 위해 만든 것입니다. 따라서 독립적으로 표기할 수 있으며 박자(시가)는 표기되어 있는 위치에 따라 달라집니다.

부호	표기	설명	연주	소리
ㄱ	潢 ㄱ	한 음 아래 음	潢 無	
ㅋ	潢 ㅋ	두 음 아래 음	潢 林	
ㄴ	潢 ㄴ	한 음 위 음	潢 汰	
ㅌ	潢 ㅌ	두 음 위 음	潢 沖	
ㅆ	潢 ㅆ	한 음 위 음 → 본 음	潢 汰潢	
ㄹ	潢 ㄹ	한 음 아래 음 → 본 음	潢 無潢	
ㅐ	潢 ㅐ	한 음 위 음 → 두 음 위 음	潢 汰沖	
ㅒ	潢 ㅒ	한 음 아래 음 → 두 음 아래 음	潢 無林	
ㄴ	潢 ㄴ	두 음 위 음 → 한 음 위 음 → 본 음	潢 沖汰潢	
ㄴ	潢 ㄴ	한 음 위 음 → 본 음 → 한 음 아래 음	潢 汰潢無	
ㄹ	潢 ㄹ	한 음 위 음 → 본 음 → 한 음 아래 음 → 본 음	潢 汰潢無潢	

3) 정간보 장식음[*]

정간보 장식음은 시김새에 포함된 하나의 기술로써 독립적으로 쓰이지 않고 반드시 율명 옆에 표기되어 음을 장식해 주거나 악센트를 주는 용도로 사용합니다. 따라서 장식음은 박자(시가)에 포함되지 않으며 연주의 숙련도에 따라 빼거나 더할 수도 있습니다. 장식음은 주로 강박에 포인트를 주거나 한 박 이상의 음에 사용하면 좋습니다. 초보자의 경우 장식음을 생략하여 연습하고 익숙해 지면 장식음을 넣어 연습합니다.

장식음	표기	설명	연주	소리
∧	潢∧	한 음 위 음	汰潢	
人	潢人	두 음 위 음	㳂潢	
ㄱ	潢ㄱ	한 음 아래 음	無潢	
ㅋ	潢ㅋ	두 음 아래 음	林潢	
﹀	潢﹀	본음 → 한 음 위 음	潢汰潢	
ㅗ	潢ㅗ	본음 → 한 음 아래 음	潢無潢	
ㄷ	潢ㄷ	한 음 아래 음 → 한 음 위 음	無汰潢	
∪	潢∪	본음 → 한 음 아래 음 → 한 음 위 음	潢無汰潢	
ʊ	潢ʊ	두 음 아래 음 → 한 음 위 음	林汰潢	
I	潢I	한 음 아래 음 → 본음 길게 → 한 음 아래 음	無潢無	
ろ	潢ろ	본음 → 한 음 위 음 → 본음	潢汰潢	
ㅓ	潢ㅓ	본음 → 한 음 아래 음 → 본음	潢無潢	

[*] 시김새와 장식음을 어렵게 생각하는 경우가 있습니다. 시김새는 여러 가지 정의가 있지만 음악의 멋을 주는 잔가락 (장식음) 혹은 그루브(Groove)나 느낌을 뜻합니다. 수기로 된 옛날 악보를 보면 장식음이 왼쪽에 붙어 있는 경우가 있으나 왼쪽에 붙은 장식음도 오른쪽에 붙은 것과 마찬가지로 동일하게 연주됩니다. 우리나라 음악에서 뒷꾸밈음은 표기되지 않습니다.

7. 농음과 혀 치기 연습

1) 농음

농음은 지속음에 리듬감을 주는 주법으로 서양의 비브라토와 비슷합니다. 입김을 일정한 간격으로 강하고 약하게 악센트를 주면서 연습합니다. 처음 연습할 때에는 메트로놈을 사용하여 빠르기 ♩=60으로 맞추어 놓고 4분음표 → 8분음표 → 16분음표 순으로 연습합니다.

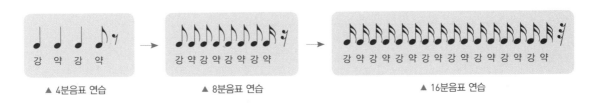

▲ 4분음표 연습　　　　　▲ 8분음표 연습　　　　　　　▲ 16분음표 연습

*관악기는 호흡이 필요하기 때문에 농음의 마지막 박에 호흡을 합니다.

2) 혀 치기

호흡을 하며 혀를 이용해 악센트를 주는 주법으로 동일한 음이 반복해서 두 번 이상 나왔을 경우에 사용합니다. 첫 음은 그대로 연주하고 두 번째 음에서 악센트를 주어 리듬감을 살리는 방법으로 '루(Ru) -' 발음을 하면 혀가 입천장에서 아래로 내려갑니다. 플루트의 텅잉 주법과 비슷하지만 더 부드럽게 연주할 수 있습니다.

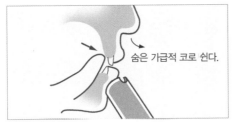

▲ '루(Ru)'를 발음하기 위한 혀 모양에서 숨은 코로 쉰다.

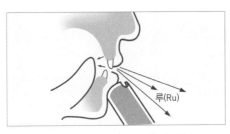

▲ '루(Ru)' 하며 혀를 떼고 입김을 내보낸다.

8. 연주하기[*]

1) 저음(저취) 연습

- 입김을 부드럽게 내야 합니다.
- 메트로놈을 빠르기 ♩=60에 맞추어 놓고 연습합니다.
- 중간에 숨을 쉬지 말고 끝까지 채워서 연습합니다.
- 반복하여 연습합니다.

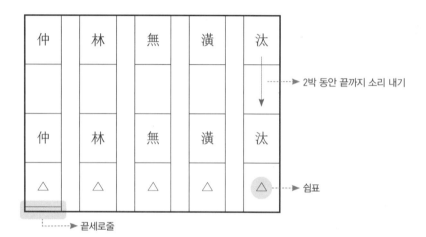

仲	林	無	潢	汰
				⟶ 2박 동안 끝까지 소리 내기
仲	林	無	潢	汰
△	△	△	△	△ ⟶ 쉼표

⟶ 끝세로줄

2) 중음(중취) · 고음(고취) 연습

- 양 볼을 살짝 당겨서 저음보다 날카롭게 입김을 불어 넣어 연습합니다.
- 처음에 입김을 강하게 내지 않도록 주의합니다.
- 소리가 나지 않을 때는 가장 아래 음정인 㳌부터 역순으로 연습합니다.

㳌	淋	潕	濆	㳸
㳌	淋	潕	濆	㳸
△	△	△	△	△

---

* 단소 음역에서 저음인 汰, 潢, 無는 쉽게 소리 나지만 林, 仲은 소리 내기 어려우므로 먼저 지공이 잘 막혔는지 확인하고 입김을 부드럽게 내야 합니다. 옥타브 위의 㳌, 淋, 潕, 濆, 㳸를 소리 내는 것은 더욱 어렵습니다. 따라서 고음을 소리 낼 때는 입김을 강하게 넣는 것이 아니라 양 볼에 미세하게 힘을 주면서 입김을 날카롭게 바꾸면 수월하게 소리를 낼 수 있습니다.

3) 2박 혀 치기 연습

- 손가락을 움직일 때에는 크게 움직이지 말고 지공 바로 위에 놓습니다.
- 저음(저취) 연습이 끝나면 고음(고취)을 차례로 연습합니다.
- 어느 정도 익숙해 지면 혀 치기를 연습합니다.

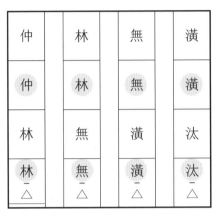

▲ 저음(저취) 연습

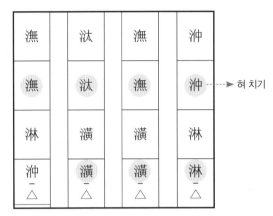

▶ 혀 치기

▲ 고음(고취) 연습

4) 1박 순차 진행 연습

- 메트로놈을 빠르기 ♩=60부터 점차 빠르게 연습합니다.

仲	汰	汰	㳲	汰	汰	仲	汰	仲
林	潢	潢	淋	潢	㳲	林	潢	林
無	無	潕	潕	潕	淋	無	無	無
潢	林	淋	潢	淋	潕	潢	林	潢
汰△	仲△	㳲△	汰△	㳲△	潢△	汰△	仲△	汰△

5) 2박 도약 진행 연습

- 메트로놈을 빠르기 ♩=60에 맞추어 놓고 쉼표를 지키면서 연습합니다.
- 어느 정도 익숙해지면 빠르기를 ♩=40까지 낮추어 연습합니다.

仲	汰	沖	潢	無	潕	仲	汰	仲
無	無	潕	淋	汰	沖	林	無	無
△	△	△	△	△	△	△	△	△

6) 1박 도약 진행 연습

- 저음에서 고음으로 도약할 때 입김을 강하게 불지 않도록 주의합니다.
- 빠르기를 조금씩 빠르게 조절하며 연습합니다.

汰	汰	仲	潕	汰	汰	潕	汰	仲
林	潢	潢	林	淋	沖	林	淋	潢
潕	仲	無	汰	無	無	沖	無	林
潢 △	潕 △	淋 △	無 △	仲 △	汰 △	潢 △	汰 △	汰 △

7) 저음(저취) 연습 연주곡

- 쉼표를 지키면서 연습합니다.
- 낮은음은 입김을 살살 불면서 자신에게 맞는 톤을 찾아봅니다.

																새야새야
汰	울	汰	청	汰	떨	潢	녹	汰	앉	汰	녹	汰	파	潢	새	
潢	고	淋	포	潢	어	林	두	潢	지	淋	두	潢	랑	林	야	
林	간	汰	장	林	지	汰	꽃	林	마	汰	밭	林	새	汰	새	
潢	다	汰	수	林	면	潢	이	林	라	汰	에	林	야	潢	야	
△		△		△		△		△		△		△		△		김승우 편보

8) 고음(고취) 연습 연주곡

- 입김을 강하게 불어 넣지 말고 날카롭게 넣어 연습합니다.

																새야새야
淋	울	淋	청	淋	떨	沖	녹	淋	앉	淋	녹	淋	파	沖	새	
沖	고	潢	포	沖	어	潢	두	潢	지	沖	두	沖	랑	潢	야	
潢	간	淋	장	潢	지	淋	꽃	潢	마	淋	밭	潢	새	淋	새	
沖	다	淋	수	潢	면	沖	이	潢	라	淋	에	潢	야	沖	야	
△		△		△		△		△		△		△		△		김승우 편보

9. 연주곡

1) 아리랑

• 고음과 저음 연습에 용이하도록 '아리랑'을 두 가지로 구성하였습니다. 고음 '아리랑' 연습 시 남(湳) 음에 유의
하여 연습합니다.

▲ 고음 연습

▲ 저음 연습

숨표

2) 도라지

• 태(汰) 음이 반복되는 부분에서 혀 치기 연습을 합니다.

→ 혀 치기

도라지   김승우 편보

潢-汰	에	汰	에	林	에	潢-汰	대	汰	한	潢-汰	심	汰	도
汰	고	汰	야	林-無	에이	汰	바	汰	두	汰	ㅣ	汰	라
汰	나	汰	ㅣ	仲	요	汰	구			汰	심	汰	지
潢-汰	내	汰	란	林	에	潢-汰	철	汰	뿌	潢-汰	산	汰	도
潢-無	ㅣ	-潢	ㅣ	林-無	에이	潢-無	철	-潢	ㅣ리	潢-無	ㅣ천	-潢	ㅣ라
林-仲	ㅣ	無	다	仲	요	林-仲	철	無	만	林-仲	ㅣ에	無	지
林	사	沖-沖	디	無	에	林	다	沖	캐	林	백	沖	백
無	랑	沖	ㅣ	無	헤	無	넘		어	無	도		
林	ㅣ	淋-沖	이	潢	이	林	는		ㅣ	林	라	淋-沖	도
仲	아	汰	여	無	요	仲	다	汰	도	仲	지	汰	ㅣ라
		-潢	ㅣ					-潢	ㅣ			-潢	ㅣ지
△		無	라	潢	ㅣ	△		無	ㅣ	△		無	지

3) 밀양아리랑

• 3분박 연습과 고음 연습에 적합한 민요입니다. 같은 음이 반복되는 경우 혀 치기 연습을 합니다.

밀양아리랑 (김승우 편보)

汰汰(○)-	아	林-仲	아리아리랑	汰汰(○)-	동지섣달--	淋淋(○)-	날좀
潢-無	리랑	林-無		潢-無		沖淋沖	보--
林無-		林		林無-		汰	소
汰汰(○)-	고개로	林-仲	쓰리쓰리랑	汰汰(○)-	꽃본듯-이	淋淋(○)-	날좀
潢-沖		林-無		潢-沖		沖淋沖	보--
汰-潢		林		汰-潢		汰	소
無	날	淋淋(○)-	아라리가났-	無	날	淋淋(○)-	날-
無(○)潢無	넘겨주-	沖淋沖		無潢無	좀--보-	沖林沖	좀--
林-仲		汰潢汰		林-仲		汰潢汰	보--
林	소	沖	네	林	소	沖	소
--無	-	--潕	-	--無	-	--潕	--
林	-	淋-沖	-	林	-	淋-沖	--

4) 진도아리랑

- 농음 연습에 적합한 민요입니다. 농음은 장단에 따라 일정한 횟수가 있습니다. 진도 아리랑은 한 정간이
  ♪♪♪♪이므로 汰(태) 음만 세 번씩 농음을 합니다.

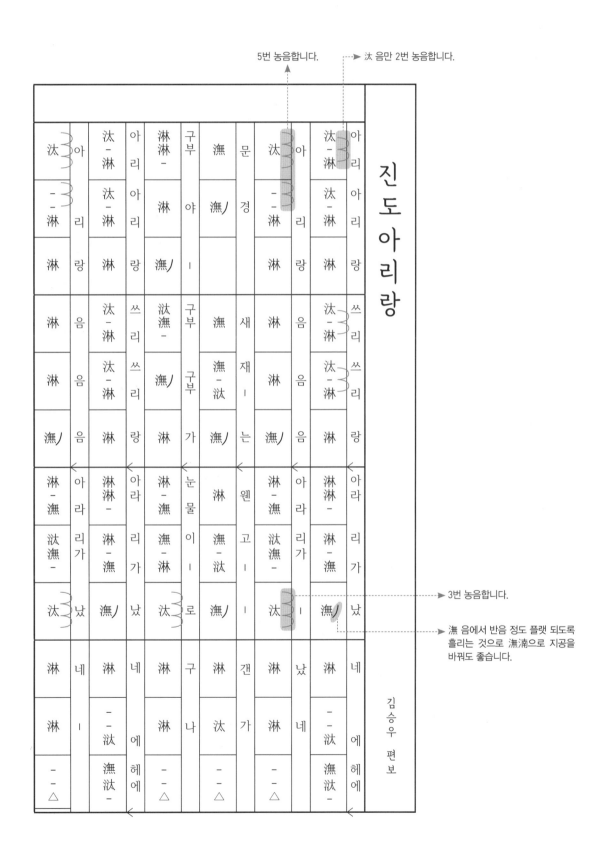

5번 농음합니다.

➤ 汰 음만 2번 농음합니다.

➤ 3번 농음합니다.

➤ 潕 음에서 반음 정도 플랫 되도록 흘리는 것으로 潕滴으로 지공을 바꿔도 좋습니다.

진도아리랑

김승우 편보

5) 영산회상 중 '타령'

• 처음부터 고음(역취)이 많이 나옵니다. 처음 연습을 할 때 입김을 강하게 내지 않고 살살 날카롭게 내면서 고음을 연습합니다.

三장							
沖	潢	潢	汰	淋潕	潢	潢	汰
淋	淋	淋				淋	汰
潕	潕	淋	汰－潢	潕－淋	沖	潢	潢
潢	淋	淋	無	沖	淋	汰	汰
潢	沖	沖	林	潢	潢	潢	潢
淋	潢	潢	潢	沖	淋	淋	淋
潢	沖	沖	沖	淋	沖	潢	潢
潢		淋		沖	潢	潢	潢

四장							
淋	淋無	潢	沖	無	淋	淋無	潢
沖	淋	淋	淋	無	沖	淋	淋
沖	沖	沖	無	潢	沖	沖	沖
汰	沖	淋	潢	無	汰	沖	淋
淋	淋潢	潢	潢	淋	淋	潢	潢
沖	汰	汰	淋	沖	淋	汰	汰
沖	無	無	潢	潢	沖	無	無－淋
△	沖	沖	潢	潢	無	沖	沖

영산회상 중 타령

									초장
汰	淋無	潢	潢	汰	汰	冲	淋		①
		淋	潢	潢	淋	淋	冲		
汰	無－淋	冲	冲	潕	潕	潢	淋		¡
無	冲	淋	潢	潢	潢	淋	汰		│
林	潢	潢	潢	潢	潢	冲	潢		○
潢	冲	淋	淋	淋	淋	淋	淋		¡
冲	淋	冲	潢	潢	潢	潢	冲		
△	冲	潢	潢	潢	潢	淋	潢		•

								二장
潢	汰	潕	淋	冲	冲	冲	冲	①
汰		冲	淋	冲	冲	潢	汰	
潢	汰	淋	潕	淋	淋	冲	潢	¡
汰		汰	淋	淋	淋	潢	林	│
潢	汰	潢	潢	潢	冲	淋	潢	○
淋		淋	汰	淋	汰	冲	潢	¡
潢	汰	潢	潕	冲	潢	潢	冲	
潢	汰	潢		冲	潢	潢	△	•

김승우 편보

* 정간보는 오른쪽에서 왼쪽(25~24쪽)으로 읽습니다.

• 시김새 부호를 연습할 때는 느리더라도 하나하나 정확하게 연습하는 것이 중요합니다. 어느 정도 연습이 되었으면 인터넷에 나와 있는 타령장단을 들으면서 불어 봅니다.

三장

沖	潢	潢	汰	淋無	潢	潢	汰ㄱ
-汰	ㄴ	ㄴ			ㅆ		
淋	淋	淋			無ㅣ	汰	
無	無	淋ㅅ	汰	無ㅅ	沖	潢	潢
-淋	ㄴ	ㄴ	潢	淋	ㅌ		
潢	淋ㅅㅆ	無ㅣ	無	沖ˀ	淋	汰	汰
潢ㅅ	沖	沖	林	潢ㅅ	潢	潢	潢
ㅆ	ㅆ	ㅆ	ㅆ	ㅆ	ㅆ	-無	-無
無ㅣ	潢	潢	潢	沖	無ㅣ	淋	淋
潢	沖	沖	沖	淋	沖	潢	潢
ㄴ		ㅌ	ㅌ	ㅆ	ㅆ	ㄴ	ㄴ
潢		淋	淋	沖ˀ	潢ㅅ	潢	潢

四장

淋ㅅ	淋無	潢	沖	沖無	淋ㅅ	淋無	潢
ㅆ		ㅆ	汰		ㅆ		ㅆ
沖	-淋	無ㅣ	淋ˢ	無ㅅ	沖	-淋	無ㅣ
沖	沖	沖	無	潢	沖ㅅ-	沖-	沖-
ㄴ	無淋	ㅌ	淋		ㄴ	無淋	ㅌ
汰	沖	淋	潢	無	汰	沖	淋
淋ˢ	淋潢	潢	潢ㅅ	淋	淋ˢ	淋潢	潢
ㄴ		ㅆ	ㅆ	ㅆ	ㄴ		ㅆ
無ㅣ	汰ㄱ	汰ㄱ	無ㅣ	沖ˀ	無ㅣ	汰ㄱ	汰ㄱ
沖	無	無	潢	潢ㅅ	沖	無	無
	-淋	-淋	ㄴ	林		淋	淋
△	沖	沖	潢	潢	無	沖	沖

영산회상 중 타령 — 한소리국악원 편보

초장

汰	淋ᐟ 潕	潢 ᅵᅵ 潕ᴵ	潢 冲汰 潢	汰ㄱ 潢ᵌ	汰 ᅵㄱ 淋ᐟ	冲 ㅏㅌ 淋	淋 ㄴ 冲		①
汰 ㄱ 無	潕ᐟ 淋 冲ᵌ	冲 ㄴ 淋	冲 潕淋 潢	潕 淋 潢	潕 淋 潢	潢 ᅵᅵ 潕ᴵ	淋ᐟ ᅵㄱ 汰		┆ ᅵ
林 ᅵᅵ 潢	潢ᐟ ᅵᅵ 冲	潢 ᅵᅵ 潕ᴵ	潢ᐟ ᅵᅵ 潕ᴵ	潢ᐟ ᅵᅵ 潕ᴵ	潢ᐟ ᅵᅵ 潕ᴵ	冲 ㅌ 淋	潢 ᅵᅵ 潕ᴵ		○ ┆
冲 潢 △	淋ᐟ ᅵᅵ 冲ᵌ	冲 ᅵᅵ 潢ᐟ	潢 ㄴ 潢	潢 ㄴ 潢	潢 ㄴ 潢	潢 ᅵᅵ 無ᴵ	冲 ᅵᅵ 潢ᐟ		•

二장

潢 汰	汰ㄱ	無 淋 冲	淋 ㄴ 淋	冲 ㅏ 冲	冲 ㅏ 冲	冲 ᅵᅵ 潢ᐟ	冲 ᅵᅵ 汰		①
潢 汰	汰	淋 ᅵ潢 汰	無 ㄴ 淋ᐞ	淋ᐟ ㄴ 淋S	淋ᐟ ㄴ 淋S	冲 ᅵᅵ 潢ᐟ	潢 ㄴ 林S		ᅵ ᅵ
潢 ᅵᅵ 無ᴵ	汰	潢 ᅵᅵ 無ᴵ	潢 ᅵᅵ 汰ㄱ	潢 ᅵᅵ 無ᴵ	冲 ᅵᅵ 汰ᅡ	淋S ᅵᅵ 冲ᵌ	潢 ᅵ汰 潢ᵌ		○ ┆
潢 ㄴ 潢	汰	潢 ㄴ 潢	無 ㄴ 汰ㄱ	冲 無淋 冲	潢 林ᐟ 潢	潢 林ᐟ 潢	冲		•

* S = 대금과 단소에만 있는 주법입니다. 본 음 위 음 본 음을 강하게 내려치는 주법입니다.

6) 세령산

- 기본 가락을 느리게 연습합니다. 고음(역취)은 입김을 강하게 내지 않고 살살 날카롭게 내면서 연습합니다.
- 부호 ㅅ, ㅆ은 리듬 ♪♩으로 연주합니다.

세령산 · 김승우 편보

		二장				초장	
沖	沖潢	淋	沖	淋淋	淋潢汰	淋	◑
沖淋	沖ㅏ	一沖	沖淋	沖汰	潢汰	潕ㅅ	
潕潢	淋	潢汰	潕潢	潢淋	沖淋	潢	ǀ
淋淋	汰	淋	淋淋	沖	潢	沖	⋮
沖汰	潢ㅆ	一沖	沖汰		潢潕	沖	
潢林	潕	淋淋	潢林	沖^	淋ㄷ	淋	○
潢潢	潕淋	沖	潢潢	沖淋	一淋	沖汰	
沖潕	潢ㅆ	潕ㅅ	沖潕	潢潢	沖汰	潢潢	¦
沖	潕	淋汰	沖	潕	潢	沖潢	
一△	潕淋	潢林潢	一△	潕淋	潢	沖	ǀ

		四장				三장	
沖	潢	沖	潕	沖	淋	潕	◑
沖淋	一汰	一沖	淋	沖淋	淋ㄱ汰	潕潢	
潕潢	沖潕	潢ㄴ	潢ㅆ	潕淋	淋	淋淋	ǀ
淋淋	淋S	沖	沖ㄴ	淋淋	潢	潢	⋮
沖汰	一ㄴ		潢ㅆ	沖汰	汰ㄱ潕	潢潕	
潢林	淋S潕	沖ㅅ	沖	潢林	淋潕	淋	○
潢潢	沖淋	一沖	沖淋	潢潢	沖淋	一淋	
沖潕	潢潢	汰	潢潢	沖潕	潢汰	潕潢	¦
沖	潕	潢潢	潕	沖	潕	汰	
一△	潕淋	汰	潕淋	一△	潕淋	潢沖一	ǀ

• 임용고사에서 자유곡으로 가장 많이 연주되던 곡입니다. 장식음과 시김새를 주의하여 박자가 밀리지 않도록
주의합니다.

세령산

한소리국악원 편보

(정간보 — 초장 · 二장 · 三장 · 四장)

7) 천년만세 중 '계면가락도드리'

• 중음(평취) 연습에 효과적인 곡입니다. 처음에는 느리게 연습하면서 점차 속도를 올려가며 연습합니다.

潕	淋S	潢	淋	潕	淋	沖	沖	潕 一 淋	沖	潕 一 淋
潢		潢		汰				沖		沖
沖	淋^	沖	沖	沖	淋	潢	潢	淋	潢	淋
潕	沖	潕	沖	潕	沖	汰	沖	沖	沖	沖
淋S	淋^	淋	潢^	淋	淋	林	潢	淋	潢	淋
淋3	淋	沖	汰	淋	淋		沖	沖	沖	沖
沖	潕	潢	林仲 一 林	沖	潕	潢	汰	潢	汰	潢
	淋	潢	無		淋		潢	潢	潢	潢

淋	淋	淋	淋	淋	沖	淋	淋S	淋	淋丶潢	淋
	沖	沖	沖	沖		淋		潢		沖
	淋	淋	潢	潢	汰	潢		沖		無
	沖	沖	潢	潢	汰		沖	沖	潢	淋
	淋	淋	淋 △	淋 △	潢	汰^	淋	淋^	淋S	沖
	無	無	汰	汰	汰		無	潢	沖	無
	淋 一 沖	淋	潢	潢	潢	潢	沖	沖	潢^ 一 林	淋S
	汰	沖	潢	潢	潢	潢		沖	潢	沖

천년만세 중 계면가락도드리

김승우 편보

淋	㳞	潢	潢	㳞	淋潢	淋	㳞	㳞	潢	①
㳞			潢	潢		㳞	潢	㳞	㳞	
潢	汰	潢	淋	㳞		潕	㳞	潢		ᅵ
潢	汰		㳞	淋	汰	淋	㳞	汰	淋	ᅵ
淋	潢	汰	淋	㳞	淋	㳞	潕	㳞	㳞	○
△										ᅵ
汰	汰		淋	潕	㳞	潕	淋	㳞	㳞	
潢	潢	潢	潢	㳞	潢	淋	㳞	潢	潢	
潢	潢	潢		淋	潢	㳞	㳞		潢	ᅵ

㳞	㳞	淋	潢	潢	㳞	淋s	淋	淋	淋	①
			汰	㳞			㳞	㳞	㳞	
淋	淋		㳞		㳞		淋	淋	潢	ᅵ
㳞	潕	潕	淋	淋	淋		㳞	㳞	潢	ᅵ
潕	㳞	㳞	汰	汰	潢		淋	淋	淋	○
									△	
㳞	㳞	㳞	林	林	潢		潕	潕	汰	ᅵ
淋	潢	潢	潢	潢	淋		淋	淋	潢	
㳞	潢	潢				㳞		汰	㳞	潢	ᅵ

- 장식음과 부호를 반드시 숙지해가며 연습합니다. 시김새를 연습할 때 늘어지지 않고 장단(리듬)에 맞게 연습합니다.
- 중간중간 나오는 쉼표를 유의하며 연습합니다.

潢 ㅣㅣ	淋s	潢 -沖 汏潢	淋s	潢 汏潢	淋s	沖	沖	無 -淋 沖	沖	無 -淋 沖
沖 ㅏ	淋^ -無 沖	沖 ㅏ	沖^ ㄴ	沖 ㅏ	淋^ -無 沖	潢^ -沖 汏 ㄱ	潢 沖	淋^ -無 沖	潢 沖	淋^ -無 沖
淋s 淋з	淋^ -無 淋	淋﹨ -ㅅ 沖з	潢^ ㄴ	淋s 淋з	淋^ -無 淋	林﹨ 仲 無I	潢 -ㅅ 沖	淋^ -ㅅ 沖	潢 -ㅅ 沖	淋^ -ㅅ 沖
沖	無 -潢 淋	潢^ -林 潢	林仲 無I	沖	無 -潢 淋	潢	汰	潢^ -林 潢	汰	潢 -林 潢

淋	淋 -ㄴ 沖	淋 -ㄴ 沖	淋 -ㄴ 沖	淋 -ㄴ 沖	㳞	淋 ㅅ	淋s	淋 潢	淋﹨潢	淋^ 沖
	淋^ -ㄴ 沖	淋^ -ㄴ 沖	潢 -ㄴ 潢^	潢 汰	汰 汰	潢		沖 -ㅅ	沖 -ㅌ ㅅ	無ㅏ 淋﹨
	淋 -沖 無ㄱ	淋 -沖 無ㄱ	淋 -潢 汰	淋﹨ -潢 汰	潢 汰	汰^	淋 ㄱ 無I	淋^ ㄴ 潢	淋s -ㅅ 沖	沖 ㅏ
	淋s -沖 汰	淋s ㄴ 沖	潢 -ㄴ 潢	潢 -ㄴ 潢	潢 ㄴ 潢	潢	沖	沖	潢^ -ㅌ 林	淋s -ㅣ 沖
△	汰	沖	潢	潢	潢	ㅣ		沖	潢	沖

천년만세 중 계면가락도드리 (한소리국악원 편보)

淋 -無 沖	沖	潢	潢 и	沖 潢	淋潢	淋^ 沖	沖 潢	沖 沖ʒ	潢 沖	①
潢 -汰 潢	汰 汰	潢^	淋s -無 沖	沖 -無 淋	 и	無+ 淋~	沖 淋 沖	潢^ -汰	 -無 淋	i
淋 △潢 汰	潢 汰	汰	淋^ 無淋	沖 無+	淋s -и 沖	沖 ㅏ	無+ 淋s	沖 и	沖 沖ʒ	○ i
潢 -汰 潢	潢 潢	潢 и	潢	沖 -無 淋	潢^ -林~ 潢	淋s -и 沖	沖 沖	潢^	潢^ -ㄴ	 |

沖	沖	淋s	潢 и	潢 沖	沖	淋s	淋 -無 沖	淋 -無 沖	淋 -無 沖	①
淋^	淋^ -沖 無工	 -沖 無工	沖 -無 淋	 -無 淋	沖 -無 淋		淋 -無 沖	淋 -無 沖	潢 潢	i |
無 -淋 沖	沖 ㄴ	沖 ㄴ	汰 -ㄱ 無-林	汰 -ㄱ 無-林	潢 и		淋^ -沖 無ㄱ	淋^ -沖 無ㄱ	淋 △潢 汰	○ i
淋^ -無 沖	潢^ -林~ 潢	潢^ -林~ 潢	潢 	潢 	淋s -無 沖	 △	淋s -沖 汰	淋s -無 沖	潢 -汰 潢	 |

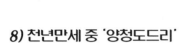

8) 천년만세 중 '양청도드리'

- 남(湳) 음 연주가 힘든 악기가 간혹 있습니다. 처음에는 본 교재에 제시된 남(湳) 음 지공 표시로 연습해 보고 소리가 잘 나지 않으면 임(淋) 포지션에서 왼손 가운데 손가락을 반만 막고 연습해 봅니다.

								五 장
沖	汰	沖	汰	湳	沖	沖	淋	淋
					沖	-△	-△	沖
淋	潢-沖	淋	潢-沖	淋	湳	沖	淋	汰
沖	汰	沖	汰	沖	-沖	湳	湳	潢

潢	汰	沖	湳	汰	潢	潢	潢	潢
	汰	沖	湳		汰	-△	潢	潢
潢	淋	淋	淋	潢	沖	潢	淋	淋
湳	-и	沖	淋	汰	沖	南	沖	沖

沖	沖	潢	淋	淋	汰	淋	湳	潢
	沖	潢	沖	淋	-и	淋	-△	潢
沖	淋	淋	淋	潢	潢	潢	湳	汰
	湳	湳	湳	潢	汰	潢	湳	-ㄱ

천년만세 중 양청도드리

김승우 편보

초장 / 二장

二장							초장		
滴	潢	淋	淋	淋	淋	滴	潢	汰	①
沖	潢	沖	滴	滴	沖	沖	潢	滴	|
汰	淋	淋	潢	潢	汰	汰	淋	滴	!
潢	滴	滴	潢	潢	汰	潢	滴	滴	

三장

淋	淋	沖	淋	淋	滴	潢	汰	淋	①
淋	一滴	沖	淋	淋	沖	潢	滴	沖	|
潢	淋	滴	滴	潢	滴	淋	滴	汰	!
潢	沖	滴	滴	潢	滴	滴	滴	汰	

四장

滴	潢	汰	汰	潢	潢	潢	汰	滴	①
沖	潢	滴	㳞	潢				一潢	|
汰	淋	滴	潢	滴	潢	汰	汰	滴	!
潢	滴	滴	汰	淋		㳞	㳞	沖	

* '양천도드리' 전곡에는 박자가 느리게 바뀌는 부분이 있지만 본 교재에서는 빠른 부분만을 제시하였습니다.

• 너무 빠르게 연주하면 시김새 연주가 어렵습니다. 부호와 장식음을 숙지한 다음 빠르기를 서서히 올려가며 연습합니다.

五
장

沖	汰	沖	汰	湳	沖	沖	淋	淋 -ㄴ
淋沖	-ㅂ	淋沖	-ㅂ	沖				沖
淋	潢 -沖	淋	潢 -沖	淋	湳	沖 -ㅌ	淋 -ㅌ	汰 -南
沖	汰	沖	汰	沖	_沖	湳 -ㄱ	湳 -ㄱ	潢

潢	汰	沖 -ㄴ	湳 -ㄴ	汰	潢	潢	潢 -林	潢 -林
潢	汰	沖	湳	-ㅂ	汰 -ㄱ	-ㄴ	潢	潢
潢 -ㄴ	淋	淋	淋 -ㄴ	潢 -ㅌ	沖	潢 -ㄴ	淋	淋
湳 -ㄱ	-ㅂ	沖	淋	汰	沖	南 -ㄱ	沖	沖

沖	沖	潢	淋	淋 -ㄴ	汰	淋 -ㄴ	湳	潢
-ㄴ	沖	潢	沖	淋	-ㅂ	淋	-ㄴ	潢
沖	淋 -潢	淋 -潢	淋 -潢	潢 -ㄴ	潢 -ㅌ	潢 -ㄴ	湳 -ㄱ	汰ㄱ
	湳 -ㄱ	湳 -ㄱ	湳 -ㄱ	潢	汰	潢	湳	-ㄱ

二장 　　　　　　　　　　초장

천년만세 중 **양청도드리**

한소리국악원 편보

초장·二장

①	汰 ㄱ	潢	潕 ㄱ	淋	淋	淋	潕 ㄱ	淋 ㄴ	潢	潕 ㄱ
￤	潕	潢	沖	汰	潕 ㄱ	潕 ㄱ	沖	沖	潢 ^	沖
！	潕	淋	汰	汰 南	潢 - 汰	潢 - 汰	汰 ㅣ	淋	淋	汰 ㅣ
	潕 ㄱ	潕 ㄱ	潢 ㄴ	汰	潢	潢	潕 ㄴ	潕 ^ ㄱ	潕 ^ ㄱ	潢 ㄴ

三장

①	淋 ㄴ	汰 ㄱ	潢	潕 ㄱ	淋 ㄴ	淋 ㄴ	沖 ㅏ	淋	淋 ㄴ
￤	沖	潕	潢 ^	沖	淋	淋	沖	ᅳ 潕	淋
！	汰 - 南	潕 ^	淋	潕 ㄴ	潕 ㄴ	潢 ㄴ	潕 ㄴ	淋	潢 ㄴ
	汰	潕 ^ ㄱ	潕 ^ ㄱ	潢	潕	潕	潕)	沖	潢

四장

①	潕	汰 ㄱ	潢	潢	潢	汰 - ㄱ	汰 - ㄱ	潢 - ㄱ	潕 ㄱ
￤	ᅳ 潢	潕	ᅳ ㄴ	潢	潢	沖 ㄱ	汰 ㄱ	潢 ^	沖
！	潕 ㄱ	潕 ^	汰 ㄱ	汰 ㄱ	潢	潢	潕	淋	汰
	沖	潕 ^ ㄱ	汰 - ㄴ	沖 - ㄱ	淋 潕	汰	潢	潕 ^ ㄱ	潢 ㄴ

단소 편　37

• 초급 단계의 '상령산'은 장식음을 빼고 긴 호흡 연습을 하기 위해 아주 느리게 연습합니다.

초급

처음 10박은
거문고가 연주합니다.

영산회상 중 **상령산**

김승우 편보

* '상령산'은 4장까지 연주되지만 본 교재에서는 2장까지만 제시합니다.
* S = '본 음 – 위 음 – 본 음'을 강하게 내려치는 주법입니다.
* ▼ = 강하게 끊어 연주하는 주법으로 스타카토와 같습니다.

• 장식음과 부호가 많이 나오지만 템포가 느리기 때문에 이에 준하여 시김새 또한 느리게 연주합니다. 지속음이 힘들 때는 그 부분만 준박(그 부분만 빠르게)으로 처리하면서 연습합니다.

고급

영산회상 중 상령산

한소리국악원 편보

二장						一장	
沖ㅡㄴ	汰ㄷ	潢ㅡ汰^	淋ㄷ	沖ㅡㄴ	林^	.	⊕
潢^ㅡ潕I		潢ㅡ潢ㄴ	ㅡ潕ㅌ	潢^ㅡ潕I			
沖△沖	汰^ㅡ汰^	沖△沖	沖	沖△沖	林ㄱ潕I		
		潢ㅡ汰^			仲ㅡ林		
		沖ㅡㄴ	汰ㄱ沖^		潢		
ㅡ淋沖△	淋^沖ㄹ	ㅡ淋沖△	潢^ㅡ潢ㄹ	ㅡ淋沖△	二林^		
潢沖	汰ㄴ	潢沖ㅡ	沖ㅡ淋ㅆ	潢沖ㅡ	汰ㄷ		¡
ㅡ淋ㄱ	潢汰^	ㅡ沖淋▾	沖ㅡ∞	ㅡ淋ㄱ			
潢汰ㄱ	沖ㅡ淋^	潢	淋ㅡ淋	潢ㄱㅡ汰^	汰^ㅡ沖^		
林仲林^	潢^汰ㄱ	ㅡ△	沖ㅡ汰↑	林仲林^	潢^汰ㄱ		
潢ㅡ汰^	淋S潕I	淋ㄷ	潢ㅡ汰^	潢ㅡ汰^	林ㄱ潕I	林ㄷ	○
潢潢ㄹ	沖淋^	ㅡㄴ潕I	潢ㅡ潢△	潢潢ㄹ	仲ㅡ林^		
沖	潢	沖	淋ㄷ	沖	潢ㅡㄴ		
ㅡ潕↑	ㅡㄴ淋	ㅡ淋ㄱ	ㅡㄴ潕I	ㅡ潕↑	林仲林^		
淋ㅡ沖ㄹ	潕ㅡㄴ	汰ㅡ沖ㄹ	沖ㅡㄴ	淋沖ㄹ	潢汰ㄱ	林^ㅡ潕I	⊕
潢潢ㄹ	潕潕I	潢潢ㄹ	潢U	潢潢ㄹ	潢ㄱㅡ潢ㄹ	仲ㅡ林^	⋮
沖	沖	沖	淋Sㄴ潕I	沖	沖	潢	
ㅡㄴㅐㅆ	ㅡㄴ	ㅡㄴㅐㅆ	沖ㅡ淋	ㅡㄴㅐㅆ	ㅡㄴ		
林仲潕↑ㄱ	潢U△	林仲潕↑ㄱ	潢ㅡ潢ㄹ	林仲潕↑ㄱ	潢U△	潢^	
潢ㅡ△	淋ㅐ	潢ㅡ△	潕ㅡ汰↑	潢ㅡ△	淋ㅡ潢ㄹ	汰^ㅡ潢ㄹ	.

10) 수룡음

- 수룡음은 시김새가 많고 긴 호흡이 필요하여 난이도가 높습니다. 시김새 처리에 주의하며 장단(빠르기)이 늘어지지 않게 주의하여 연습합니다. 보통은 생황과 같이 연주하는 곡이지만 단소 독주곡으로도 많이 쓰입니다.

			五장
淋潢 －－	沖	潢 －汰ㅣ	淋▼ △淋
－ －ᴎ	－ 淋	沖 －無	
無ㄱ －沖	沖	林仲 －林	
潢 －ᴎ 淋	沖ㅋ －淋ᴧㄱ	潢	
沖▼ △沖	潢ᴧ	淋 －潢	
	－ －ᴎ 無	沖	
	淋	－ －汰	
	－ －ᴎ 沖	潢 －ᴎ 沖	
	汰ㅋ －潢	汰 －ㄱ 林	
△	淋沖 －淋	潢	－ 沖 △
	潢 －潢ᴧ	沖ㅋ	淋沖 －－
	淋潢 －	－ －潢	－ －無
	－ －無	淋ㄷ	淋ᵕ △淋
	淋ᵕ △淋	－ －ᴎ 沖	沖ᴧ －無
		潢ᴧ －沖 無	淋 －ᴎ
	－ －ᴎ 沖		沖 －汰

수룡음

김승우 편보

四장	중여음			三장	二장		一장	
淋潢 -	潢 - ㄴ 沖	沖	沖ㅋ	沖	沖ㅋ	潢 - 汰ㅅ 汰ㅗ	沖ㅋ	◑
- - 湳	汰 - 林	- 淋	- 淋	- 淋	- 淋	沖 - 潕 ㅓ	- - ㄴ 潢ㅅ	⋮
淋 - 淋	潢	沖	潕 - ㄱ 沖	沖	潕 - ㄱ 沖	仲 - ㄴ	沖 - ㄴ 潢ㅅ	⋮
潢 - 潕	沖 - 淋ㅅ	淋 - 淋	淋ㅅ	沖ㅋ - 淋ㅅ	淋ㅅ	潢	淋ㅅ	○
淋 △	沖 - 淋ㅅ	沖 - 汰	- ㄴ 沖	潢ㅅ	- 沖		- 潕ㅗ	
淋	潢ㅋ - ㄴ	潢ㅅ	潢ㅅ	- 無	潢ㅅ	淋ㅅ - 潢	沖 - ㄴ 汰	·
	潕 - ㄱ 沖	沖 - 潢ㅅ	淋 - 淋	林 △ 林	淋 - ㄴ	沖	潢ㅋ	˙
	潢 - 淋	汰 - 潢	沖 - 汰		沖 - 汰			
	沖▾ △ 沖	淋ㅅ	潢 - 沖		潢 - ㄴ 沖		淋沖 - -	○
		- - 無	汰 - ㄱ 林		汰 - 無		- - 潢ㅅ	
- 沖 △		沖 - 沖	潢	- 仲 △	潢	汰	汰ㅅ - 潢	·
汰ㅋ - 潢		淋ㅅ - 無	沖ㅋ	淋	沖ㅋ	潢 - 汰	淋沖 - -	◑
淋沖 - 淋ㅅ		沖 - 淋	- ㄴ 潢	- 淋	- 潢	沖 - 潕		
潢ㅋ - 潢		潢ㅋ - ㄴ	淋ㄷ	沖 ㄴ - 潢	淋ㄷ	仲 - ㄴ	沖ㅅ - 潕	⋮
潕 - ㄱ 沖		無	- ㄴ 沖	汰ㅅ - 林	- ㄴ 沖	汰ㄱ - 林	淋 - 潕	○
潢 - 潕	- - ㄴ △	沖 - 汰	潢ㅅ - 淋	潢	潢ㅅ - 淋	潢	沖 - 汰	·

• 어려운 부호와 시김새는 하나하나 숙지해가며 연습합니다. 중간에 나오는 긴 호흡이 필요한 지속음은 그 부분만 준박(그 부분만 빠르게)으로 처리하면서 연습합니다.

			五 장
淋 潢 -	沖	潢ㅋ -汰^ 汰ㅣ	淋▼ △ 淋
- -ㅣㅔ	-潢 潕ㅣ	沖 -潕	
潕 -ㄱ 沖	沖	林仲 - 無ㄱ	
潢 ㅔ 沖潕ㅣ	沖ㅋ - 淋^ㄱ	潢	
沖▼ △ 淋沖	潢^		
	-ㅣㅔ 潕	淋 -ㄴ 潢	
	淋ㅋ	沖	
	-ㅣㅔ 沖	-ㅣㅔ 汰	
	汰ㅋ - 潢	潢 ㅔ 沖	
	淋沖 - 潕ㄱ	汰 -ㄱ 無ㄱ	
△	潢 -潢^	潢	- -ㄴ △
	淋 潢 -	沖ㅋ	淋沖 - -
	-ㅣㅔ 潕	-ㅣㅔ 潢	
	淋ʊ △ 淋	淋ㄷ	沖^ - 潕
		-ㅣㅔ 沖	淋 ㅔㅣㅔ
	-ㅣㅔ 沖	潢^ 沖 -無ㅣ	沖ㄴ 汰

수룡음

四장	중여음	三장			二장	一장		
淋潢 -	潢 -ㅣ 沖	沖	沖ㅋ	沖	沖ㅋ	潢 -汰 汰	沖ㅋ	◐
-ㅣ 湳	汰 -ㄱ 潕	-潢 潕ㅣ	-ㄴ	-潢 潕ㅣ	-ㄴ	沖 -潕	-ㅣ 潢	⋮
淋 -ㅣ ㅣ	潢	沖	潕 -ㅣ 沖	沖	潕ㄱ 沖	林仲 潕ㄱ	沖 -潢	
潢ㅋ -ㅣ 潕	沖 -淋	淋 -ㅣ ㅣ	淋ㄷ	沖ㅋ -淋^ㄱ	淋	潢	淋^	○
淋沖潕 淋^ △	沖 -淋	沖 -ㅣ 淋^ㄱ	-ㅣ 沖	潢^	-ㅣ 沖		-ㄴ 潕ㅣ	
淋	潢ㅋ -ㅣ ㅣ	潢^	潢^	-ㅣ 潕	潢^	淋^ -ㄴ 潢	沖^ -淋 汰	•
	潕 -ㄱ 沖	沖 -ㅣ 潢^	淋 -ㅣ ㅣ	林ʊ △ 林	淋 -ㅣ ㅣ	沖	潢ㅋ	¦
	潢 -沖 潕ㅣ	汰 -ㅣ 潢	沖 -ㅣ 汰		沖 -ㅣ 汰		- -ㄴ	
	沖▼ △ 沖	淋^	潢 -ㅣ 沖		潢 -ㅣ 沖	淋沖 - -	○
		-ㄴ 潕	汰 -ㄱ 潕		汰 -ㄱ 潕		-ㅣ 潢^	
-ㄴ △		沖 -ㄴ 沖	潢	-ㄴ	潢	-ㄴ 汰	汰ㅋ -ㅣ 潢	•
汰ㅋ -ㅣ		淋^ -ㄴ 潕	沖ㅋ	淋ㄷ	沖ㅋ	潢 -汰 汰	淋沖 - -	◐
淋沖 -淋^		沖 -淋^	-ㅣ 潢^	-ㄴ 潕ㅣ	潢^	沖 -潕		
潢ㅋ -ㅣ		潢 -ㅣ ㅣ	淋ㄷ	沖 -ㅣ 潢^	淋^	林仲 潕ㄱ	沖^ -潕	⋮
潕 -ㄱ 沖		潕 -ㄱ 潕ㅣ	-ㅣ 沖	汰^ 潕ㄱ	-ㅣ 沖	汰ㄱ -潕	淋 -ㅣ ㅣ	○
潢^ 沖潕	-ㄴ △	沖 -ㄴ 汰	潢^ -沖 潕ㅣ	潢	潢^ -沖 潕ㅣ	潢	沖^ -ㄴ 汰	•

한소리국악원 편보

11) 청성곡(요천순일지곡)

• 자유박인 '청성곡'은 장식음을 넣기에 좋은 곡입니다. 자유박이란 일정한 박자나 장단 없이 연주자의 느낌대로 연주하는 개념이지만, '청성곡'에서는 보통 한 음이 두 박 이상 지속될 때 그 부분만 빠르기를 빨리하여 연주합니다.

		五장		四장	중여음
淋沖－無	沖▼△淋沖				－ㄴ汰
潢ㅋ－汰▼		－ㄴ		－ㄴ潢ʊ	沖ㅋ
淋潢－	－ㄴ	潢ʊ△潢		淋沖－淋ㅅ	－ㄴ
－ㄴ潢	汰ノ潢		淋沖－無		潢ʊ△潢
無－ㄱ沖	－ㄴ	汰ㅅ潢無		－ㅆ沖	－ㅆ無
－ㅑ△	沖▼△淋沖	林ʊ仲－ㄴ	淋沖－ㄴ汰ノ	潢ㅅ－ㄴ	淋
淋ㄷ		汰ㄱ－ノ－潢	潢－ㅆ沖	沖－ㄴ無ㄱ	無淋沖淋
－ㄴ△	－ㄴ	潢ㅋ－ㅆ	淋ㅅ－ㄴ－ㅑ	沖▼△淋沖	汰－ʊ
淋ㅆ潢－	潢ʊ△潢	潢ʊ－ㄴ	淋△淋		沖－無
		沖無－		－ㄴ△	－ㅑ－ㅑ
－ㅆ汰▼	－汰ㅅ潢無ノ			淋ㅆ潢－	淋ㄷ
潢ㅅ－沖ㄴ	林仲－ㅑ	－ㅑ－ㅑ	－ㄴ△	－ㄴ－ㅆ	－ㄴ△
無－淋沖▼	林ㄷ	淋	淋沖－淋ㅅ	淋ㅆ潢－汰	林仲ㅅ－林ㅅ
淋沖－		－ㅆ		潢沖無	汰ㅅㄱ－ノ
	－ㄴ△	沖－潢淋ㄷ	－ㄴ無ㄱ	－ㅑ－ㅑ	潢ㅋ－ㅑ
－△	汰ㄱ－潢ノ	－－ㅆ	沖▼－淋沖	淋ㄷ	潢沖－

청성곡 (요천순일지곡)

한소리국악원 편보

	三장				二장		一장
潢ㅋㅢ 潢沖ㅡ	淋沖ㅡ淋 淋	淋沖ㅡ淋^	沖▼ㅡ淋沖	ㅡ汰^潢 無 林 仲ㅡㄴ	潢ひ△潢	淋沖淋^ㅡ	仲^林^ㅡ
ㅡㅢ潢 潢沖潕	ㅡㅢ沖▼△ 淋沖ㅡ淋^	ㅡㄴ沖▼△淋沖	ㅡㄴ沖淋ノ潢ひ	汰ㄱㅡㄱ	汰^潢無ノ	ㅡㅢ沖 淋沖ㅡ淋^	潢ㄷ
ㅡㅢ潢	ㅡㅢ沖▼△	ㅡㄴ潢ひ△潢	ㅡㄴ沖▼△淋沖	林潢ㅡㅢ 潢ひㅡㄴ	林仲ㅡ無 林	ㅡㅢ沖	ㅡㄴ沖▼△淋沖ㅡ
ㅡㅑㅜ淋	ㅡㅢ沖▼淋沖	汰^潢無 林仲ㅡㄴ	ㅡㄴ潢ひ△潢	沖潕ㅡ	ㅡㅑ△	潢^ㅡㄴ沖▼ㅡ無ㄱ	ㅡㅢㅡㄴ潢ひ△潢ひ
ㅡㅢ沖▼ 淋沖ㅡ淋^	ㅡㄴ汰ノ 汰ㄱㅡㄱ	林仲ㅡㄴ 汰ㄱㅡㄱ	汰^潢無林仲ㅡ無林	淋沖ㅡ淋^淋	沖▼△淋沖	沖▼△淋沖	ㅡㅢ無ノ潢ひㅡㄴ沖潕ㅡ
ㅡㅢ沖潢^ㅡ汰^潢	潢ㅋㅡㄴ汰ㄱㅡㄱ	潢ひㅡㄴ沖潕ㅡ	ㅡㅑ△	ㅡㅢ沖▼淋沖ㅡ淋^	ㅡㅢㅡㄴ潢ひ△潢	汰ノ△潢ひ	汰ノ△潢ひ沖潕ㅡ
沖潕ㅡ無沖▼淋沖	潢ㅋㅡㄴ林仲ㅡㄱ	沖潕ㅡ無	ㅡㅑ△	ㅡㅢ沖▼潢ひ△潢ㄷ	沖▼△淋沖	沖▼△淋沖 ㅡㅢㅡㄴ	淋沖ㅡㅑ

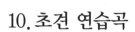

10. 초견 연습곡

- 본 교재에 수록된 악곡에서 두 번 이상 반복되는 패턴을 정리한 연습곡입니다.
- 메트로놈을 항상 옆에 두고 연습합니다. 초보 연주자의 경우 빠르기 ♩=50으로 시작합니다.
- 제시된 악보를 30초 동안 눈으로 읽습니다.
- 연습 시 틀려도 다음 박으로 넘어갑니다.

악보①	악보②	악보③	악보④	악보⑤	악보⑥	악보⑦	악보⑧
淋s - 淋ろ	淋s - ㅄ	淋ᴗ	淋s ㄱ 潕ㅣ	潢 - -林	潕	淋s -ㄴ 潕ㅣ	沖 -ㅄ 潢ㄴ
沖 - ㄴ	潢 -ㅄ 汰ㄱ	- -ㅄ 潕ㄱ	沖 -ㅄ 汰	潢 -ㄴ 潢ろ	潕ᄉ -ㅐ 潕ㅣ	沖 - 淋ᄉ	沖 -淋 潕
潢 -ㅄ	沖 - 淋ㄱ	沖 -ㅄ 汰		沖 -ㄴ 潕ㅣ		潢 -ㅄ 汰ㄱ	淋s
沖 -ㅄ 潢ㄴ		潢 - -林		沖		潕	
沖		潢 - △		- - △		潕ᄉ -ㅐ 潕ㅣ	

악보⑨	악보⑩	악보⑪	악보⑫	악보⑬	악보⑭	악보⑮
淋	淋ᄉ	潢ᷓ 沖 -	汰ㄷ	潢 - 汰ᄉ	沖	淋 - 沖ろ
△ 潢	- 沖	- - 淋ㄱ		潢 -ㄴ 潢ろ	- ㅄ	潢 -ㄴ 潢ろ
汰	潕ㄱ	潢 - 汰ᄉㄱ	汰ᄉ -ㄱ 沖ろ	沖	潢	沖
潢	淋s	林 仲 ᄉ林	潢ᄉ - 汰ㄱ	- - 潕ᄉ	沖 -	- -ㄴ ㅐ
- 汰	- 潕				ㄴ 淋	林仲 - 潕ㄱ
潢	沖					潢 -

악보⑯ 악보⑰ 악보⑱ 악보⑲ 악보⑳ 악보㉑ 악보㉒

악보⑯	악보⑰	악보⑱	악보⑲	악보⑳	악보㉑	악보㉒
淋ㄷ	潢ㅅ	潢 ㅡ 汰ㄱ	潢	沖 ㅡ ㄴ	淋ㅅ	沖ㅅ ㅡ 潕
ㅡ ㄴ 潕ㅣ	淋 ㅡㅆ	潢ㅋ ㅡㄴ 潢ﻜ	ㅡ ㅆ	潢ㅅ ㅡㅆ 潕ㅣ	ㅡ ㄴ 潕	淋 ㅡㅆ
沖 ㅡㅆ 潢ㅅ	沖 ㅡㄴ 汰	沖	潕ㅣ	沖 △ 沖	沖 ㅡㅆ 汰	沖 ㅡㄴ 汰
汰ㅅ ㅡㄱ 無ㄱ	潢 ㅡㅆ 沖	ㅡ ㅡ ㄴ	沖		潢ㅋ	
潢	汰 ㅡㄱ 無ㄱ	潢ꙅ ㅡ △	ㅡ ㅌ			
	潢	淋ㅅ ㅡ ㅆ	淋	ㅡ ㅡ淋ㅅ 沖△		

연습 TIP
- 제시된 악보를 자유롭게 배열하여 연습합니다.
- 처음 연습할 때는 장식음을 제외하고 연습하고 두 번째 연습할 때는 장식음을 넣어 연습합니다.

방법1 악보①+②+③+④+①
방법2 악보③+⑭+⑫+④

장구 장단 편

장구 장단 편

1. 장구

장고(杖鼓)는 일반적으로 '장구'라고 부르며 우리나라의 리듬 악기 중 대표적인 타악기입니다. 허리가 가늘어 '세요고(細腰鼓)'라고도 합니다. 고구려와 신라 때는 '요고(腰鼓)'라고 하였으며, 무릎 위에 놓고 칠 정도로 현재의 장구 보다는 작은 모양을 가졌습니다. 궁편의 가죽은 채편에 비해 두꺼우며 통의 둘레 또한 넓어 중·저음의 낮은 소리를 내고 채편은 고음을 냅니다. 농악이나 사물놀이에서는 궁편을 궁글채로 치지만 반주를 위한 장단에서는 궁편을 손으로 치는 것이 일반적입니다.

장구의 구조	명칭	설명
가막쇠 조임줄 조이개 변죽 울림통 통 궁글채 열채 복판	궁글채	농악이나 사물놀이에서 궁편을 친다.
	열채	채편을 친다.
	복판	궁편의 가운데 부분으로 소리를 크게 낼 때 사용한다.
	변죽	채편의 가장자리 부분으로 작은 소리를 낼 때 사용한다.
	울림통	소리를 울려 확장시킨다.
	조임줄	양편을 조여 묶어서 소리가 나도록 유지한다.
	조이개	조임줄을 조절하여 음의 높낮이를 조절한다.
	통	조롱목이라고 하여 양쪽의 울림통을 이어준다.
	가막쇠	양편의 가죽을 연결한다.

▲ 장구의 구조와 명칭

2. 장단

장단은 우리나라 전통음악의 모든 분야를 포함하는 포괄적 반주의 명칭으로 일정한 리듬을 지속적으로 유지하는 것을 말합니다. 장단의 목적은 리듬을 일정한 속도로 유지함으로써 음악이 안정감 있고 원활하게 흘러갈 수 있도록 하는 것입니다. 음악에 따라 반주하는 악기가 구분되는데, 판소리를 반주하는 소리북과 산조, 정악, 병창, 민요, 가곡, 무용 및 합주 형태의 음악을 반주하는 장구로 나눌 수 있습니다.

3. 장구 장단의 활용 범위

장구 장단은 판소리를 제외한 우리나라 전통음악에서 광범위하게 활용되고 있고 장단의 종류도 다양하여 장단의 기초 지식이 없으면 구분하기 쉽지 않습니다. 따라서 본 교재에 수록되어 있는 내용을 중심으로 장단의 명칭과 활용 범위를 설명하고자 합니다. 또한 교재에 수록하지 않은 산조를 설명하는 이유는 장단의 기본적인 밑거름으로 산조 장단이 활용되고 있기 때문입니다.

1) 산조

산조는 장구나 북 반주가 따르는 기악 독주곡을 말합니다. 1890년경 가야금 산조가 발생하였고, 이후 거문고, 대금, 해금, 아쟁, 피리, 단소, 통소, 칠현금 등 여러 악기의 산조가 출현하게 되었습니다. 현재는 악기와 유파에 따른 다양한 종류의 산조가 있습니다.

- **특징:** 산조 장단은 판소리 장단의 개념과 리듬 패턴이 동일합니다. 소리북은 채편의 타점을 세 곳으로 구분하여 북채를 움직이는 타법을 구사하고 장구는 채편의 변죽만을 활용한 타법을 구사합니다.

- **장단의 종류:** 진양(조), 중모리, 중중모리, 빠른 중중모리◆, 느린 자진모리◆, 자진모리, 엇모리◆, 휘모리◆, 굿거리◆, 단모리◆, 세산조시◆

◆표시는 악기의 종류와 유파에 따라 다르게 적용됩니다.

2) 민요

민요는 민중이 살아온 삶의 모습과 과정이 노래의 형태로 표출되고 정착되었습니다. 서울·경기 지방의 경기 민요, 황해도·평안도·함경도 지방의 서도 민요, 강원도·함경도 일부·경상도 지역의 동부 민요, 전라도·충청도 이남·경상도 서남부 지역의 남도 민요, 제주 지방의 제주 민요로 분류됩니다. 민요 중 잡가는 긴 사설을 기교적인 음악 어법으로 부르는 노래를 말하며, 반드시 스승으로부터 배우는 과정을 거쳐야 전통성을 인정받았습니다.

- **특징:** 대부분의 민요는 장구의 복판을 활용하여 반주를 하며, 민요 중 일부 악곡은 산조 형식의 장단이 사용됩니다.

- **장단의 종류:** 중모리, (느린)중중모리, 자진중중모리, 자진모리(자진타령), 굿거리, 세마치, 엇모리, 동살풀이, 노랫가락

3) 정악

정악은 고종 1909년에 조양구락부가 발족되면서 공식화되었고, 2년 뒤 조선정악원으로 개칭되었습니다. 정악은 현악기 중심의 줄풍류와 관악기 중심의 대풍류로 구분됩니다. 줄풍류는 거문고, 가야금, 양금, 비파, 생황, 단소, 세피리, 대금, 해금, 장구 등이 사용되며 연례악의 일부인 '어민락', '도드리', '영산회상', '천년만세', '가곡' 등이 있습니다. 대풍류는 대금과 피리가 중심이 되는 편성 형태를 말하며 대금, 피리와 함께 해금, 장구, 북 등으로 구성됩니다. '관악영산회상'이 이에 해당되며 현재까지도 무용 반주 음악으로 널리 사용되고 있습니다.

영산회상에는 현악 영산회상이라고 하는 줄풍류의 '중광지곡'이 있고 관악 영산회상이라고 하는 대풍류의 '표정만방지곡'이 있으며, 평조회상이라고 하는 줄풍류와 대풍류의 혼성 합주곡인 '유초신지곡'이 가장 많이 연주됩니다.

- **특징:** 정악은 궁중에서 연주되던 음악으로 민속 음악의 장단과 달리 타법의 변화와 가락의 다양성이 많지 않습니다. 기본형의 장단이 거의 변하지 않고 변형이 이루어져도 그 정도가 매우 적다는 것이 민속 음악과 대조적입니다.

- **장단의 종류:** 상영산(중영산), 세영산, 도드리, 타령, 양청도드리, 취타, 길군악, 수제천, 가곡(10박, 16박), 가사, 시조

4. 추임새

추임새는 여러 가지 형태로 반응합니다. 연주자의 실력이 출중할 때, 연주자의 실수가 있을 때, 연주자가 힘들어할 때, 해학적이며 관객의 참여를 기대할 때 등 다양한 상황에서 나오게 되며 그 의미 또한 다릅니다. 처음 추임새를 할 때는 쑥스러워서 소리를 크게 내지 못하는 경우가 많으므로 충분히 연습하여 자신감 있는 추임새를 체득해야 합니다.

추임새의 종류		추임새의 응용
얼씨구, 얼씨구야, 잘한다, 좋~다, 아먼, 아믄, 그렇지, 그라지, 으음, 어음, 얼~쑤, 어~이 등		얼씨구 잘한다, 좋다 얼씨구, 좋다 잘한다, 아먼 그라지, 좋다~ 어~이, 잘한나 어~이, 얼씨구 어~이, 좋다 얼씨구야 등

5. 장구 연주의 바른 자세와 타법

1) 기본 자세

장구를 중앙에 놓고 허리를 곧게 핍니다. 채편쪽의 다리가 열채의 움직임에 방해가 되지 않도록 합니다.

▲ 앞에서 보이는 자세

▲ 채편(오른편) 자세

▲ 궁편(왼편) 자세

2) 타법

① 채편 치는 방법

열채를 열어 소리를 크게 표현하거나 열채 끝으로 소리를 작게 표현할 수 있습니다.

▲ 변죽에 열채를 열어 치는 방법

▲ 변죽에 열채 끝으로 치는 방법

▲ 복판에 열채를 열어 치는 방법

② 궁편 치는 방법

기본 자세에서 손이 수평이 되도록 들어 올린 후 손의 힘을 빼고 호흡을 실어 복판을 칩니다.

기본 자세

→

수평

→

6. 구음

1) 채편 구음

표기	구음	연주 방법
	따	채를 열어 힘있게 친다.
	다	채 끝으로 가볍게 터치한다.
	닥	채 끝을 면에 붙여 울림이 없도록 한다.
	기덕	'기'는 채 끝으로 여리게 터치 하면서 '덕'에서 최대한 붙여 힘있게 친다.

2) 궁편 구음

부호	구음	연주 방법
	궁	궁손(왼손)으로 북편을 힘있게 친다.
	구	궁손으로 북편을 여리게 친다.
	굽	궁손으로 북편의 울림이 없도록 한다.
	구궁	'구'를 여리게 터치하면서 '궁'에서 최대한 빠르게 붙여 힘있게 친다.

3) 양손 구음

부호	구음	연주 방법
	합	모든 장단의 첫 박을 말하며 채편과 궁편을 동시에 친다.
	덩(당)	모든 장단의 첫 박을 제외한 박을 힘있게 동시에 친다.
	척	채편과 궁편을 동시에 칠 때 궁편 울림을 힘있게 막으며 채편을 힘있게 내려 친다 (모든 장단의 맺는 박).

7. 장단

1) 진양(진양조)장단 (♩ = 30~60)

진양장단은 진양조장단으로도 불리며 속도가 가장 느리고 긴 박자를 가지고 있습니다. 판소리 장단에서는 24박을 한 장단으로 사용하고 있지만 산조에서는 6박을 한 장단으로 사용합니다.

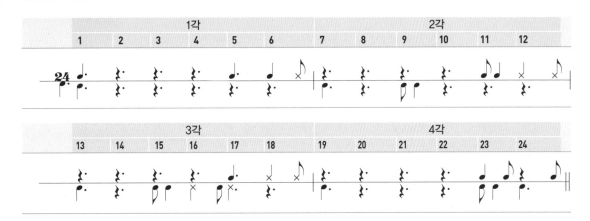

진양장단의 기본형

진양장단의 변형

연습 TIP 기본형의 순서를 암기한 후 변형 장단을 연습하는 것이 좋습니다. 느린 3분박 리듬이므로 일정한 호흡을 유지하는 데 집중하여 연습합니다.

2) 중모리장단 (♩ = 70 ~ 80)

중모리장단은 진양장단 다음으로 느린 장단으로 12박을 한 장단으로 사용합니다. 진양장단을 제외한 모든 장단의 근본이 되는 장단입니다. 서정적인 느낌, 평온한 느낌의 선율에서 사용됩니다. 중모리장단을 더 빠르게 몰아치면 단중모리장단이라 칭합니다.

중모리장단의 기본형

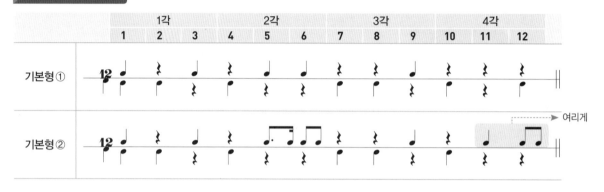

중모리장단의 변형 필요한 마디의 가락을 음악의 흐름에 맞게 응용하기

연습 TIP 여러 장단을 연결성 있게 진행할 때는 첫 장단을 제외한 나머지 장단의 첫 박은 '궁'으로 시작하고, 맺음을 하였거나 음악적으로 필요하다고 판난되면 다시 '합'으로 시작합니다.
(방법) 1각(변형③) + 2각(변형④) + 3각(변형③) + 4각(변형③) = 한 장단 완성

3) 중중모리장단 ($\frac{4}{\bullet}$ = 80∼90)

중중모리장단은 중모리장단의 빠르기보다 2배(倍) 정도 빠른 장단으로 4박을 한 장단으로 사용합니다. 흥겨운 느낌, 우아하고 화려한 느낌의 선율에서 자주 표현되는 반면 애절한 느낌의 선율에서도 사용됩니다. 더 빠르게 몰아치면 휘중중모리장단이라 칭합니다.

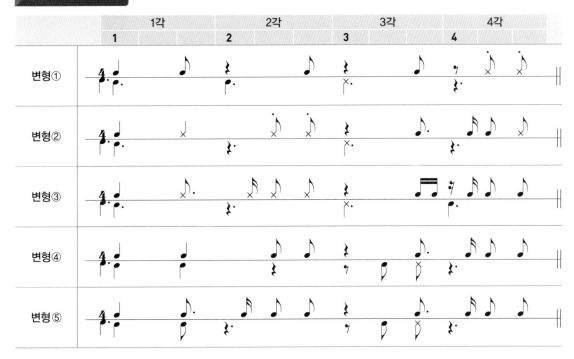

중중모리장단의 기본형

중중모리장단의 변형

연습 TIP 여러 장단을 연결 할 때 첫 장단을 제외한 두 번째 장단의 첫 박 부터는 '궁'으로 시작합니다. 변형 장단을 연습할 때는 구음과 함께 크게 연습하는 것이 좋습니다. 습득되는 과정에 따라 강약을 구분하여 연습합니다.

방법 ① → ② → ③ → ④ → ⑤ 순으로 반복

4) 자진모리장단 ($\frac{4}{ }$ = 100 ~ 110)

자진모리장단은 중중모리장단의 빠르기보다 2배(倍) 정도 빠른 장단으로 4박을 한 장단으로 사용합니다.
긴박하고 격동적인 느낌의 선율에서 사용됩니다.

자진모리장단의 기본형

자진모리장단의 변형

연습 TIP 자진모리장단은 12박으로 구성되어 있지만 살짝 빠른 속도로 쳐야하므로 함축된 박의 단위인 4박을 한 장단으로 사용합니다.
기본 패턴은 3.3.3.3이며 다음으로 많이 나오는 패턴은 3.3.2.2.2와 2.2.2.3.3입니다. 아래 제시한 연습 방법은 편향된
패턴에 치우치지 않고 변화되는 리듬에 반응하기 위한 훈련입니다.

방법1 기본형① → 기본형② → 변형① → 변형② 순으로 진행하며 맺음 장단은 ①과 ②를 교차하여 사용
방법2 기본형① → 기본형② → 변형①-1 → 변형②-1 순으로 진행하며 맺음 장단은 교차하여 사용
방법3 기본형① → 기본형② → 변형① → 변형①-1 순으로 진행하며 맺음 장단은 교차하여 사용
방법4 기본형① → 기본형② → 변형① → 기본형② → 변형①-1 → 기본형① 순으로 진행하며 맺음 장단은 교차하여 사용

5) 엇모리장단 (♩ = 160)

엇모리장단은 3분박과 2분박이 3.2.3.2 형식이 반복되는 복합형(혼합형) 장단으로 10박을 한 장단으로 사용합니다. 신비스러운 선율에서 사용됩니다.

엇모리장단의 기본형

엇모리장단의 변형

연습 TIP

엇모리장단과 같이 여러 장단을 연결성 있게 진행할 때는 첫 장단을 제외한 나머지 장단의 첫 박자는 '궁'으로 시작하고, 맺음을 하였거나 필요에 따라 '합'으로 시작합니다.

방법1 기본형① → 기본형② → 변형① → 변형② 순서대로 진행하며 마무리는 맺음

방법2 기본형① → 기본형② → 변형① → 변형② → 변형① → 변형③ → 변형④ → 맺음

방법3 기본형① → 기본형② → 변형①(2번) → 변형② → 변형③ → 변형① → 변형④ → 변형③ → 맺음

6) 엇중모리장단 ($\frac{6}{4}$ = 70~80)

엇중모리장단은 중모리장단의 빠르기와 유사하며 중모리장단의 절반에 해당되는 장단으로 6박을 한 장단으로 사용합니다. 가야금 병창 중 단가 '사창화류'가 이에 해당됩니다.

엇중모리장단의 기본형

엇중모리장단의 변형

연습 TIP	여러 장단을 연결하는 경우 중모리장단으로 넘어갈 수 있으므로 주의하여 연습합니다.
	방법1 기본형 → 변형① → 변형② → 맺음
	방법2 기본형 → 변형①(2회) → 변형②(2회) → 맺음 (예 / 단가'청석령 지나갈제')

7) 휘모리장단 ($\frac{4}{4}$ = 120)

휘모리장단은 가장 빠른 장단으로 4박을 한 장단으로 사용합니다. 장단 명칭처럼 휘몰아가는 장단이며 산조에서는 '단몰이' 또는 '세산조시'의 명칭으로 사용되는 유파도 있습니다.

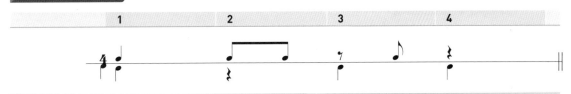

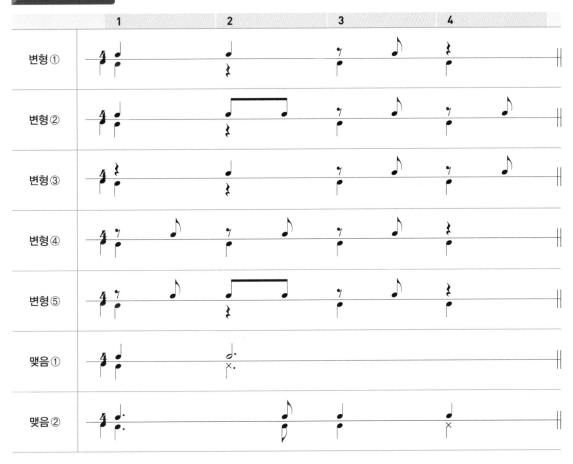

연습 TIP

방법1 기본형 → 변형① → 변형② → 변형③ → 변형④ → 맺음①과 맺음②를 교차하여 맺음

방법2 기본형 → 변형① → 변형② → 변형③ → 변형⑤ → 맺음①과 맺음②를 교차하여 맺음

8) 굿거리장단 (♩ = 89~90)

굿거리장단은 중중모리장단과 유사한 속도로 진행되며 산조, 민요, 무용, 가야금 병창 등 광범위한 장르에서 사용되고 있습니다. 보편적으로 흥겨운 선율, 화평한 선율, 아름답고 경이로운 선율 등에서 사용됩니다.

굿거리장단의 기본형

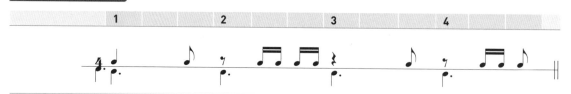

굿거리장단의 변형

연습 TIP ┃ 굿거리장단은 강약(강·약·중·약)의 반복 흐름을 명확하게 연습해야 합니다.

9) 세마치장단 ($\frac{3}{4}$ ♩.= 80~90)

세마치장단은 조금 빠른 장단으로 3박을 한 장단으로 사용합니다. 농악에서의 세마치는 4박 패턴이고, 판소리의 세마치는 진양장단을 빠르게 치는 자진진양장단을 일컫습니다. 장단의 빠르기와 장단 리듬꼴에 따라 경쾌하고 흥겨운 느낌을 보이는 장단입니다.

세마치장단의 기본형

4장단 변형

5장단 변형 (예) 경기 민요 '양산도')

연습 TIP 민요에서 세마치장단은 4장단을 패턴으로 쳐야 하지만 경기 민요 '양산도'는 5장단을 패턴으로 쳐야 합니다.

10) 자진타령장단(볶는타령장단) ($\frac{4}{4}$ = 100~110)

민요에서는 자진타령장단을 볶는타령장단이라고 하며 4박을 한 장단으로 사용합니다. 자진타령장단을 기본으로 자진모리장단을 응용하여 치면 더욱 효과적입니다.

자진타령장단의 기본형

자진모리장단의 변형

연습 TIP 자진타령장단은 사신모리장단과 비슷합니다. 기본형부터 순서대로 연습하여 장단의 흐름을 파악하고 순서를 임의로 교차하여 연습합니다.

11) 동살풀이장단 ($\frac{4}{4}$ = 90~120)

동살풀이장단은 전라남도 무가나 호남 우도 농악에 쓰이는 장단으로 알려져 있으며 4박을 한 장단으로
사용합니다. 동살풀이장단은 빠르기와 장단 리듬꼴에 따라 경쾌하고 씩씩한 느낌의 장단입니다.

동살풀이장단의 기본형

동살풀이장단의 변형

연습 TIP   방법 기본형 → 변형① → 변형② → 변형③ → 변형④ → 변형⑤ → 맺음①과 맺음②를 교차

12) 노랫가락장단 (♩ = 120)

노랫가락장단은 5.8.8.5.5의 패턴으로 3행(초장, 중장, 종장)형식의 장단입니다. 가사(사설)에 따라 11.8.5.5와 5.8.5.5 형식의 변형 장단이 있습니다.

노랫가락장단의 기본형

노랫가락장단의 변형

• 11.8.5.5 장단

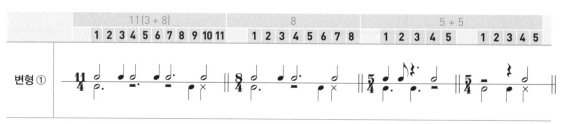

• 5.8.5.5 장단

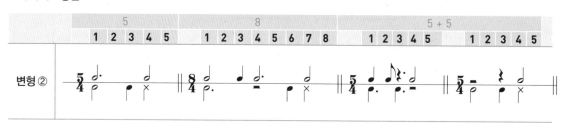

연습 TIP   일정한 패턴의 리듬이 아니므로 충분한 연습이 필요합니다. 기본형을 노래에 맞추어 연습하여 명확한 반주가 된 후에 변형 장단을 연습합니다.

13) 세령산장단

			3			2		2		3	
	1	2	3	4	5	6	7	8	9	10	

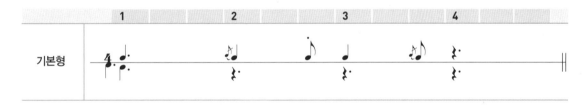

14) 타령장단

	1	2	3	4	

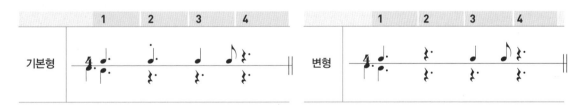

15) 계면 · 우조 가락도드리장단

	1	2	3	4	

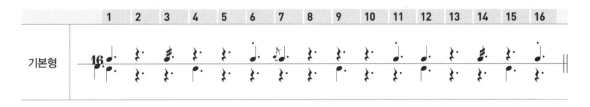

16) 양청도드리장단

	1	2	3	4			1	2	3	4	

17) 수룡음장단(가곡의 평롱장단)

	1	2	3	4	5	6	7	8	9	10	11	12	13	14	15	16

민요 편

민요 편

1. 민요

민요는 대중성에 따라 통속 민요와 토속 민요, 기능에 따라 노동요, 유희요, 의식요, 음악적 전문성에 따라 민요와 잡가, 지역별 음악 특징에 따라 음악 어법(토리) 등으로 구분합니다.

2. 민요의 구분

1) 대중성에 따른 구분

① **통속 민요:** 지역적 경계를 벗어나 여러 지역에서 불려지고 전문 소리꾼들에 의해 형성되고 유행하는 민요입니다.
   예 '아리랑', '강강술래' 등

② **토속 민요:** 특정 지방에서만 불리고 전국적으로 유행되지 못해 그 지방의 특색이 잘 나타난 민요입니다.
   예 경상도 '어산용' 등

2) 기능에 따른 구분

① **노동요:** 노동의 어려움을 덜고 일의 효율을 높이기 위해 부르는 민요입니다.
   예 '모심기소리', '노젓는소리', '논매는소리' 등

② **유희요:** 놀이를 질서 있게 진행하고 흥겹게 하기 위해 부르는 민요입니다.
   예 '강강술래', '쾌지나칭칭나네', '돈돌라리', '서우젯소리' 등

③ **의식요:** 세시나 장례 등 생활과 관련된 의식 때 부르는 민요입니다.
   예 '상여소리', '고사소리', '상예소리' 등

3) 전문성에 따른 구분

① **민요:** 민중들 사이에서 전해지는 노래로 악보로 기재되거나 글로 쓰이지 않고 구전된 것입니다. 수련을 거치지 않고 자연스럽게 익힐 수 있으며 노래 부를 때 즉흥성에 따라 달라질 수 있는 노래입니다.
   예 '보리타작소리', '모내기소리' 등

② **잡가:** 선분 소리꾼들이 부르던 노래입니다.
   예 남도잡가 '육자배기', '흥타령' 등

4) 지역별 음악 어법(토리)에 따른 구분

민중의 생활 속에서 자연스럽게 발생된 민요는 삶, 언어, 지역에 따라 다른 특징을 지니고 발전되어 왔습니다. 음악 어법(토리)의 차이에 따라 경기 민요(경토리), 서도 민요(수심가토리), 남도 민요(육자배기토리), 동부 민요(메나리토리), 제주 민요 등으로 구분합니다.

① 경기 민요(경토리)

• 지역: 서울, 경기, 충청 일부
• 특징: 급격히 떨거나 꺾는 음이 많지 않고 맑고 밝은 소리를 사용합니다. 한 글자에 여러 개의 음이 붙는 일자 다음식의 선율이 많고 가락의 굴곡이 유연하면서도 다채롭고 명확합니다. 순차 진행이 많아 감정 표현이 부드럽고 서정적이며 가락은 경쾌하고 흥겹습니다.

• 구성음:

• 장단: 굿거리장단, 타령장단, 세마치장단 등
• 대표 악곡: '노랫가락', '창부타령', '양산도', '군밤타령', '천안삼거리(흥타령)' 등

② 서도 민요(수심가토리)

• 지역: 평안도, 황해도
• 특징: **평안도** 느리면서 애수가 깃든 감정과 자유리듬으로 부르는 노래가 많습니다. 긴 소리(애수, 느림)와 자진 소리(흥겹고, 빠른)가 대비되어 감정의 대조를 이루기도 합니다.
　　　황해도 평안도 민요에 비해 장단이 일정하고 밝고 서정적이며 흥겹습니다.

• 구성음: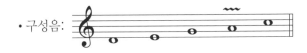

• 장단: 중모리장단(느림), 자진굿거리장단(빠름) 자유리듬 등
• 대표 악곡: **평안도** '수심가', '엮음수심가' 등
　　　　　　황해도 '긴난봉가', '자진난봉가', '병신난봉가', '사설난봉가', '몽금포타령' 등

③ 남도 민요(육자배기토리)

• 지역: 전라도, 충청도 이남
• 특징: 가락이 구성지고 표현력이 풍부하며 극적이고 거친 소리를 사용하여 판소리, 산조, 무가와의 교류를
      통해 수준 높은 음악으로 발전되어 왔습니다.

• 구성음:

• 장단: 느린 장단의 진양장단과 중모리장단, 빠른 장단의 중중모리장단과 자진모리장단 등
• 대표 악곡: '농부가', '육자배기', '진도아리랑', '강강술래', '흥타령' 등

④ 동부 민요(메나리토리)

• 지역: 강원도, 함경도 일부, 경상도
• 특징: **강원도, 함경도** 산맥이 험한 지형적 영향으로 탄식조나 애원조의 노래가 많습니다.
      경상도 강한 억양이 특징이고 빠른 장단으로 쾌활합니다.

• 구성음:

╌╌╌▶ **내려갈 때 '솔' 음을 거치는 것이 특징**

• 장단: 자진모리장단 등
• 대표 악곡: '쾌지나칭칭나네', '옹헤야', '강원도아리랑', '정선아리랑', '한오백년', '신고산타령' 등

⑤ 제주 민요

• 지역: 제주도
• 특징: 육지와 다른 방언이 남아 있어 제주도만의 느낌이 있고 낭만적이며 경쾌합니다. 주로 어업이나 농
      업 등에 관련된 노동요가 많습니다. 경기 민요와 유사하며 음을 꺾거나 떨지 않고 순차 진행하는
      경우가 많습니다.
• 장단: 굿거리장단
• 대표 악곡: '서우젯 소리', '오돌또기', '이어도사나' 등

3. 민요의 형식

- 메기고 받는 형식: 메기는 소리(독창) → 받는 소리(제창)로 부르는 형식
- 긴자진 형식: 느리게 → 빠르게 이어 부르는 형식
  - (예) '뱃노래' – '자진뱃노래', '농부가' – '자진농부가'
- 엮음 형식: 같은 박자에 원래 곡보다 많은 사설을 붙여서 촘촘하게 엮어 부르는 형식
  - (예) '수심가' – '엮음수심가', 평시조 – '사설시조'

4. 민요의 발성

우리나라 민요의 발성은 복식 호흡을 통한 모든 노래 발성의 기본 원리와 동일합니다. 바른 자세와 호흡, 자신의 음역에 맞는 자연스러운 발성을 통해 소리 내는 법과 시김새 표현을 꾸준히 연습하면 민요를 잘 부를 수 있습니다.

5. 아리랑

아리랑은 한국의 대표적인 민요로 인류 보편의 다양한 주제를 담고 있습니다. 단순한 곡조와 사설 구조를 가지고 있기 때문에 즉흥적인 편곡과 모방이 가능하고 함께 부르기 쉬우며 여러 음악에 자연스럽게 수용될 수 있습니다.

1) 유래

강원도를 중심으로 노동요로 불리던 토속 민요 '아라리'가 경복궁 재건에 쓰일 목재를 한강으로 옮기던 인부들을 통해 경기 지역으로 전해지며 전문 소리꾼들에 의해 발전하였습니다. 민족적 정서가 담긴 선율을 통해 서민들의 사랑을 받으며 현재에 이르게 되었습니다.

2) 발전

아리랑으로 전승되는 민요는 약 60여 종 3,600곡으로 추정되며, 2006년 100대 민족 문화 상징, 2012년 유네스코 무형 문화유산으로 등재되었습니다. '정선아리랑', '진도아리랑', '밀양아리랑'을 3대 아리랑으로 구분합니다. 본 교재에서는 여러 지역의 아리랑을 통해 지역별 음악적 어법(토리)을 연습합니다.

6. 가창곡

아리랑

세마치장단   국립국악원 편보 · 경기 민요

받는 소리
아 － 리 랑 － 아 － 리 랑 － 아 라 － 리 － 요 － － － －

아 － 리 랑 － 고 － 개 － 로 － 넘 － 어 간 다 －

메기는 소리
나 － 를 버 리 고 가 시 는 임 － 은 － － － －

십 － 리 도 － 못 － 가 － 서 － 발 － 병 난 다 －

'아리랑'은 우리나라의 대표적인 통속 민요*입니다. 우리에게 가장 친숙하며 '경기아리랑', '본조아리랑' 등으로 불립니다. 본래는 강원도 지방의 토속 민요가 경기 지방에 전수되면서 경기 민요의 음계와 창법으로 변형되어 전해집니다.

연습 TIP   경토리와 세마치장단의 음악적 특징 표현에 유의하여 연습해 보세요.

---

* 통속 민요는 전문 소리꾼들에 의해 불리는 민요로 지역의 경계를 벗어나 여러 지역에서 불리고 유행하는 민요입니다.

정선아리랑

느린 세마치장단

국립국악원 편보 · 동부 민요

받는 소리

아 리 - 랑 - 아 리 - 랑 - 아 라 - - - 리 - - - 요 - - - -

아 리 - 랑 - 고 개 고 개 - - 로 - - - 나 를 넘 겨 - - 주 - - - 게 - - - -

메기는 소리

1. 눈 이 올 라 나 비 - 가 - 오 - 려 - - 나 - - - 억 수 장 마 - - 지 려 - - - 나 - - - -
2. 명 사 십 리 가 아 니 - - 라 면 - - 은 - - - 해 당 화 는 - - 왜 피 - - - 나 - - -
3. 정 선 읍 - 내 일 - 백 - - 오 십 - - 호 - - - 몽 땅 잠 들 - 여 놓 고 - - - 서

만 - 수 - - 산 - 검 은 - - 구 름 - - 이 - - - 막 모 여 - - - 든 - - - 다 - - - -
오 춘 삼 월 - - 이 아 니 - - 라 면 - - 은 - - - 두 견 새 는 - 왜 우 - - 나 - - -
이 모 장 - - - 네 맏 며 느 리 데 리 - - 고 - - - 성 마 령 을 - - 넘 자 - - - -

'정선아리랑'은 아리랑 중에서 가장 역사가 오래된 것으로 추정되며 나무할 때, 김 맬 때, 길을 걸을 때, 사람들이 모여서 놀 때 불렀다고 전해집니다. '아라리'로 불리던 정선 지방의 토속 민요로 산이 많아 다른 지역 문화와 교류가 활발하지 못한 지리적 특성을 닮아 느리고 유창한 선율을 지니고 있으며 '긴아리랑', '엮음아리랑'으로 구성되어 있습니다.

연습 TIP 메나리토리와 느린 세마치장단(중모리)의 음악적 특징 표현에 유의하여 연습해 보세요.

강원도아리랑

엇모리장단

서한범 채보 · 동부 민요

받는 소리

아 리 아 리 쓰 리 쓰 리 - 아 - 라 리 - 요 - - -

아 리 아 리 - 얼 씨 구 - - 놀 다 가 세   Fine

메기는 소리

1. 아 주 까 리 동 백 아   열 - 지 마 - 라 - - -
2. 열 - 라 는 콩 팥 은   왜 아 니 열 - 고 - - -
3. 붉 - 게 핀 동 백 꽃   보 기 도 좋 - 고 - - -

누 - 구 를 - 꾀 자 고 - - 머 리 에 기   름   -
아 주 까 리 - 동 백 만 - - 왜 - 여 는   가   -
수 - 줍 은 - 처 녀 의 - - 정 열 도 같   네   -

D.C. al Fine

'강원도아리랑'은 강원도 산간 생활의 정서를 담은 순박하면서도 구슬픈 민요입니다. 강원도에서 전승되는 '긴아라리'는 '정선아리랑'이며 '엮음아라리'는 '자진아라리' 또는 '강원도아리랑'이라고도 합니다. '긴아라리' 에서 파생된 곡으로 노랫말을 빠르고 촘촘하게 부르다가 '긴아라리' 가락으로 되돌아가는 특징을 지니고 있습니다.

연습 TIP   메기는 소리와 받는 소리가 유사하게 구성되어 있습니다. 메나리토리와 엇모리장단의 음악적 특징 표현에 유의하여 연습해 보세요.

밀양아리랑

세마치장단   국립국악원 편보 · 동부 민요

'밀양아리랑'은 1920년 후반 새롭게 만들어진 민요입니다. 무뚝뚝하고 남성적이며 밀양 지역의 아랑 전설*
내용이 포함되어 있다고 전해집니다. 다른 지역의 아리랑 보다 장단이 빠르고 경쾌하며 '밀양아리랑' 선율에
사설만 개사하여 부르는 '광복군아리랑'이 있습니다.

연습 TIP 받는 소리와 메기는 소리의 구조가 유사한 것을 확인할 수 있습니다. 메나리토리와 세마치장단의 음악적 특징 표현에
유의하여 연습해 보세요.

---

* 밀양부사의 딸인 아랑을 짝사랑하던 젊은 사나이가 아랑이 사랑 고백을 받아 주지 않자 연정이 증오로 변하여 비수로 아랑을
살해하고 숲 속에 묻었다는 전설에 밀양의 부녀들이 아랑의 정절을 사모하여 '아랑 아랑'하고 불러 아리랑으로 발전하였다는 전
설입니다.

해주아리랑

세마치장단

국립국악원 편보 · 서도 민요

받는 소리

아 리 아 리 - 얼 쑤 아 라 - 리 - 요 - - - -

아 리 랑 - - 얼 씨 구 - - 노 다 - 가 세

메기는 소리

1. 아 - 리 랑 - 고 - 개 는 - 웬 고 - 갠 - 가 - - - -
2. 저 기 가 는 - 저 아 가 씨 - 눈 매 - 를 보 - 소 -
3. 뒷 - 동 산 - 진 - 달 래 - 만 발 - - 하 - 고

넘 어 갈 적 - - 넘 어 올 적 - - 눈 물 - 이 난 다
곁 - 눈 을 - - 감 - 고 서 - - 속 눈 - 만 떴 네
솔 - 적 다 - - 새 - 소 리 - - 풍 년 - 이 라 네

> '해주아리랑'은 반수심가토리(난봉가토리)로 분류되지만 서도 민요의 특징보다 경기 민요의 특징을 더 많이
> 지닌 민요입니다. 학자에 따라 경기 민요인 '본조아리랑'이 유행한 이후 생겨난 신민요*라는 주장이 있습니다.

연습 TIP 사설 표현에 따른 차이가 있긴 하지만 메기는 소리와 받는 소리가 유사하게 구성되어 있습니다. 반수심가토리와 세마치 장단의 음악적 특징 표현에 유의하여 연습해 보세요.

---

* 신민요는 각 지방에서 전승되던 민요 중 교통의 발달 등을 통해 교류가 활발해지며 지역적인 한계를 넘어 널리 불리게 된 민요, 또는 조선 후기부터 일제 초기에 새로 창작되어 전국적으로 유행했던 민요를 의미합니다. 일제 강점기 때는 민족의 비애와 분노를 담은 애절한 호소의 사설을 노래하기도 하였습니다.

진도아리랑

세마치장단

국립국악원 편보 · 남도 민요

받는 소리
아 리아 리랑 쓰 리쓰 리랑 아라리 가 났 네 - - - -
아 - 리랑 응 응 응 아 라리 가 - 났 네

메기는 소리 1
문 - 경 새 재 - 는 왠 고 - - 갠 가
구 부 야 아 구부 구부 야 눈 - 물 이 - 난 다

메기는 소리 2
노 - 다 가 세 노 다 - 나 가 세
저 달 이 떴 다지도 록 노 - 다나 - 가 세

※ 부르는 순서: 받는 소리 → 메기는 소리1 → 받는 소리 → 메기는 소리2 → 받는 소리

'진도아리랑'은 다른 지방의 아리랑과 달리 육자배기토리가 뚜렷하게 표현된 아리랑입니다. 가락이 구성지고 장엄하며 극적인 느낌을 줍니다. 또한 남녀의 사랑을 표현한 사설을 많이 지니고 있으며 사설보다 시김새 표현의 묘미가 특징입니다. '남도아리랑'이라 부르던 곡을 대금 명인 박종기의 편곡으로 현재에 이르렀다고 전해집니다.

연습 TIP 육자배기토리의 시김새를 악곡에 표시하고 연습해 보세요. 받는 소리와 메기는 소리의 뒷부분 선율은 유사하지만 앞부분 선율의 변화(9-10마디, 17-18마디)를 통해 낮고 높은 선율이 교차되는 것을 확인할 수 있습니다. 육자배기토리와 세마치장단의 음악적 특징 표현에 유의하여 연습해 보세요.

군밤타령

자진타령장단

국립국악원 편보 · 경기 민요

메기는 소리

바 람 - 이분 다 -　바 람 - 이불 어 -

연 평 바 - 다 에 어 허 어 얼 싸 바람이분 다

받는 소리

얼 싸좋 네 - 아좋 네군 밤이 요 - 에헤라 생률 밤이로구 나 -

'군밤타령'은 경쾌한 리듬과 흥겨운 사설이 특징인 대표적인 신민요입니다. 선율은 반복되고 사설은 계속 변화하는 특징을 지닌 곡입니다.

연습 TIP 메기는 소리 4장단(1-4마디), 받는 소리 3장단(5-7마디)에 유의하여 연습해 보세요. 경토리와 자진타령장단의 음악적 특징 표현에 유의하여 흥겹게 연습해 보세요.

널리리야

굿거리장단

국립국악원 편보 · 경기 민요

메기는 소리

널 리 리 야   널 리 리 야 – – 니 나   노 난 – 실 – 로 내 가 돌 아 간 다

받는 소리

널   널 리 리 – 널 리 – 리 야

메기는 소리

1. 청 사 초 롱   불 밝 혀 라 – –
2. 백 옥 같 이   고 운 얼 굴 – –

잇 었 던 낭 – 군 – 이 다 시 돌 아 온 다
햇 빛 에 그 을 리 – 기 웬 – 말 – 인 가

받는 소리

널   널 리 리 – 널 리 리 야
널   널 리 리 – 널 리 리 야

'널리리야'는 피리의 음색을 구음으로 표현한 민요입니다. 무당들이 굿할 때 부르던 '창부타령'을 변화시킨 것으로 일제 강점기에는 민족의 설움을 달래기 위해 불렸습니다. 사설에 담긴 서민들의 애환이나 세월의 무상함에 비해 선율이 경쾌하여 사설 내용과 선율의 대비가 극적입니다.

연습 TIP 높은음에서 시작하여 낮은음으로 진행하는 선율 구조가 특징인 민요로 사설은 변화하지만 메기는 소리와 받는 소리가 각각 동일한 선율로 반복되고 있습니다. 경토리와 굿거리장단의 음악적 특징 표현에 유의하여 연습해 보세요.

한강수타령

굿거리장단

국립국악원 편보 · 경기 민요

받는 소리

```
1. 한 - 강    수 - - - - 라      깊 고 - 맑 은 - 물 - - 에 -
2. 조 요    한    월 색 - - - 은      강 심 에 어 렸 - 는 - - 데 -
3. 멀 - 리    뵈 - - - - 는      관 악 산 웅 장 도 하 - - 고 -
```

```
수   상   선 - 타 고 - 서 -      에 루 화 뱃 놀  이 가 잔 - 다 -
술   렁   술 렁 배 띄 - 워 라      에 루 화 달 맞  이 가 잔 - 다 -
돛   단   배 - 두 서 - 넛 -      에 루 화 한 가  롭 기 도 - 하 다
```

메기는 소리

```
아  하 아  하 에  헤 야 하    에 헤 - 요 -  어 허 - 야 -
```

```
얼  쌈 마  둥  게 디 여  라 내   사 - 랑 - - 아
```

'한강수타령'은 한강 주변의 풍경과 여유로운 뱃놀이의 정서를 표현한 민요로 서도 민요의 '간지타령'과 곡조와
사설이 유사합니다.

연습 TIP 메기는 소리가 유사하게 진행되고 있습니다. 경토리와 굿거리장단의 음악적 특징 표현에 유의하여 연습해 보세요.

천안삼거리

국립국악원 편보 · 경기 민요

굿거리장단

'천안삼거리'는 '흥타령'이라고도 불리며 사당패 선소리에서 비롯되어 경기 창자에 의해 전승되었다고 전해집니다. 충청도 민요로도 분류되지만 경토리의 특징이 강해 경기 민요로 분류됩니다.

연습 TIP 노랫말 '흥-'의 반복구가 동일하고, 2, 4, 6마디는 유사하게 진행되는 것을 확인할 수 있습니다. 경토리와 굿거리장단의 음악적 특징 표현에 유의하여 연습해 보세요.

풍년가

'풍년가'는 한 해 농사의 풍년을 기대하는 마음을 흥겹게 표현한 민요입니다.

연습 TIP 메기는 소리와 받는 소리가 유사하게 진행됩니다. 경토리와 굿거리장단의 음악적 특징 표현에 유의하여 연습해 보세요.

청춘가

정미 채보 · 경기 민요

굿거리장단

1. 이 팔 청 춘-에 ----- 소 년 몸 되 어 --서 -- -- ----
2. 세 상 만 사-를 ----- 생 각 을 하 면 은-- -- ----

문 명 의 학 문 --을 --- -- 닦 아 를 봅 시-- 다 -- -
묘 창 - 해 --지 --- -- 일 속 이 로 구-- 나

청 춘 홍 안 을 ----- 네 자 랑 말 아 --라 -- -- --
천 금 을 주 어 도 ----- 세 월 은 못 사 --네 -- --

덧 없 는 세 월 --에 --- -- -- 백 발 이 되 누-- 나 -- -

'청춘가'는 청춘의 덧없음을 한탄하는 내용으로 굿거리 4장단이 한 절을 이루는 짧은 유절 형식의 민요입니다. 경토리의 특징을 지니고 있으며 주 음으로 하강하는 종지를 활용하고 있습니다.

연습 TIP 곡 전체의 흐름이 유사합니다. 경토리와 굿거리장단의 음악적 특징 표현에 유의하여 연습해 보세요.

태평가

굿거리장단

김성경 편보 · 경기 민요

짜 증 을 내 어 - 서 무 - 엇 - 하 나

성 - 화 는 - 바 치 - 어 무 - 엇 - 하 나

속 상 한 일 도 하 도 - - 많 으 니 -

놀 기 도하 면 서 살 - 아 - 가 세 니 나 노 - - -

닐 리 리야 닐 리 리야 니 나 노 - 얼 싸 - 좋 다 얼 씨 - 구 나좋 다

벌 - 나 - 비 는이리저 리 - 훨 - - 훨 - 꽃을 찾 아 - 서 날 - 아 - 든 다

'태평가'의 원래 제목은 '태평원'으로 강남월 작사, 정사인 작곡의 신민요입니다. 광복 후 이은주 명창이 일부 가사를 바꿔 '태평가'로 부른 이후로 널리 애창되어 왔습니다.

연습 TIP 경토리와 굿거리장단의 음악적 특징 표현에 유의하여 연습해 보세요.

경복궁타령

자진타령장단

국립국악원 편보 · 경기 민요

받는 소리

에 - - -

1. 남 문 을 열 고 -
2. 을 축 - 사 월 -
3. 도 편 - 수 의 -

메기는 소리

파 루 를 -치 니 - - 계 명 - - -산 천 이 밝 -아 - -온 다 -
갑 자 - -일 에 - - 경 복 - - -궁 - 을 이 -룩 - -일 세 -
거 동 을 -봐 라 - - 먹 통 을 - -들 고 서 갈 팡 질 팡 -한 다 -

에 - - - 에 헤 - -에 야 -

받는 소리

에 헤 - - -에 야 - - 얼 럴 럴 -거 리 -고 방 아 - -로 -다

'경복궁타령'은 조선 말 왕권 회복을 위해 흥선 대원군이 경복궁을 재건한 때 전국에서 동원된 백성들의 고달픔과 무리한 재건에 대한 열망을 담아 불렀다는 설이 전해지며 일의 고달픔이나 무리한 공사를 풍자하는 내용이 담겨있습니다.

연습 TIP 받는 소리가 먼저 불리고 메기는 소리를 불렸다가 다시 받는 소리가 진행되는 특징이 있습니다. 경토리와 자진타령장단의 음악적 특징 표현에 유의하여 연습해 보세요.

뱃노래

메기는 소리　　받는 소리　　　　　메기는 소리
어　야디야　어　야디야　　달　은밝고　－　－　－　－　－　－　－

받는 소리　　　　　메기는 소리
명　랑한데　어　야디야　고　향생각－－　－　－　－　－　－

받는 소리　　　　메기는 소리　　받는 소리　　메기는 소리　　받는 소리
D.S. al Coda
절　로난다　어　야디야　여기가어디냐숨은　바위다　숨은　바위면배다　칠라

메기는 소리　　　받는 소리
배다　치면　큰일　난다　앗　다야들아염　려마라　에헤－　－

－　　에헤－－　에헤－－　에헤－－　야－－－

에　헤　에　헤　어　허야　아디　야　　어기야어기야어기야－

굿거리장단
어기－여　차뱃놀이－가　잔　다　－

'뱃노래'는 지역 또는 노동에 따라 많은 종류의 뱃노래가 전승되고 있습니다. 경상도에서 유래하였기 때문에 동부 민요로도 분류되지만 현재는 경기 민요의 대표 악곡으로 손꼽힙니다.

연습 TIP　20~22마디까지는 사설을 바꾸어 동일한 선율로 반복됩니다. 장단의 변화와 메기는 소리와 받는 소리의 반복에 유의하여 흥겹게 연습해 보세요. 반경토리와 굿거리장단으로 진행되는 긴자진형식의 음악적 특징 표현에 유의하여 연습해 보세요.

노랫가락

국립국악원 편보 · 경기 민요

충 신 은 만 조 정 이 요--- 효 자 --열 --녀 는

가 가 --재 ---라 - - 화 형 제

낙 처 자 하-니-- 붕-우 --- -유-신 하 오 ---리 ---

다 - - 우 -리--도 성 주 ---모 --시 고

태 평 성 -대 -를 누 리 -리 라 ----

'노랫가락'은 서울과 경기 지역의 굿에서 격이 높은 신령이나 혼령을 불러 모시는 청배의 기능을 하는 민요입니다. 인간의 소망을 기원하는 내용을 담고 있으며 노랫가락은 장단 명으로 쓰이기도 합니다. 3.5.8박이 혼합된 혼소박장단입니다.

연습 TIP 장단 변화에 유의하여 연습해 보세요. 노랫가락은 시조와의 연관성이 있으며 시조와 같이 5박, 8박 장단에 맞추어 부르지만 한배는 더 빠릅니다. 초장은 1~5마디, 중장은 6~10마디, 종장은 11~15마디로 구분하며, 장단은 계속 변화하고 있지만 선율과 리듬은 3~4마디, 9~10마디, 12~13마디 등이 유사하게 진행됩니다.

몽금포타령

굿거리장단

국립국악원 편보 · 서도 민요

메기는 소리

1. 장 산 곶 마 루-에 --- 북 소 리 나 더-니 --- ---
2. 갈 길 은 멀 고-요 --- 행 선 은 더 디-니 --- ---

금 일 도-상 - 봉 에 ---- 님 만 나 보 겠 네 - -
늦 바 람-불 - 라 고 ---- 서 방 님 조 른 다 - -

받는 소리

에 헤 요-에 헤 요-에 헤 요 --- 님 만 나 보 겠 네 - -

'몽금포타령'은 몽금포(장산곶)의 경치와 운치, 어부 생활의 정취를 묘사한 민요입니다. 선율이 다채롭고 경쾌합니다. 반수심가토리의 특징을 지니고 있으며 굿거리장단으로 구성되어 있습니다.

연습 TIP 메기는 소리의 3, 4마디와 받는 소리의 선율이 유사하게 진행되고 있습니다. 반수심가토리와 굿거리장단의 음악적 특징 표현에 유의하여 연습해 보세요.

수심가

백대웅 채보 · 서도 민요

'수심가'는 임을 그리워하고 기다리는 애틋한 심정을 노래하는 민요입니다. 시조와 마찬가지로 초장·중장·종장의 3장 형식의 불규칙장단으로 한배의 길이가 일정하지 않으나 수심가토리의 음악적 특징이 잘 나타나 있는 곡으로 '엮음수심가'와 짝을 이루어 불립니다.

엮음수심가

백대웅 채보 · 서도 민요

가사:
아 - - - 하 - - 소상강으로 배 타 고
저-불고 가 는놈 저두 동자야 말--물 어 보--자
너희 선생 은 뉘라 하시 며-- 행하 - -느은 곳 은
그--어 디 -메--냐 두동-자 여짜오되 우리 선생은-
남해 광 능하에 적송 자라 하옵시 고 -- 행하 는곳 은 영 주봉래 방장
삼신 산으로 --불사 - 약 구 하 러 가- 는길이 로 --소-이다

'엮음'수심가'는 '수심가'보다 사설의 길이가 길고 촘촘하게 엮여 있으며 사설의 길이와 장단이 일정하지 않고
여러 박자가 뒤섞여 나타나 노래의 흐름에 따라 자유롭게 장단을 맞춥니다. 긴사설을 이야기하듯 엮어 나가다가
마지막에는 수심가 가락으로 늘어뜨리는 특징을 갖고 있습니다.

연습 TIP 악곡이 갖고 있는 형식을 이해하고 수심가토리와 장단 변화의 음악적 특징 표현에 유의하여 연습해 보세요.

---

* 엮음 형식은 긴사설을 빠른 장단으로 촘촘하게 붙여서 부르는 방식으로 민요 등 성악곡에서 보이는 형식입니다. 민요에서는
느린 노래와 짝을 이루어 제목 앞에 '엮음'이나 '사설'이 붙는 경우가 많습니다.

싸름

중모리장단　　　　　　　　　　　　　　　　　　　　　　　　　　　　　　국립국악원 편보 · 서도 민요

1. 싸　　　름 – 싸　　　름 – 느 티 나 무 밑 – – 에
2. 싸　　　름 – 싸　　　름 – 산 천 초 목 우 거 진 곳

싸 름 우 는 소 리 가 귓 – 가 에 들 리 네
싸 름 우 는 소 리 가 처 – 량 도 하 – – 네

싸　　　름 – 싸　　　름 내 맘 도 살　　　　살

다 녹 여 – 낸 – – – 다

　　‘싸름’은 쓰르라미(저녁에 우는 매미)의 황해도 방언으로 한여름 밤에 우는 매미 소리를 듣고 고향을 생각하는 슬픈 감회를 노래하는 민요입니다. 반수심가토리의 특징을 지니고 있으며 중모리장단으로 구성되어 있습니다.

연습 TIP　　악곡에 시김새를 표시하고 연습해 보세요. 반수심가토리와 중모리장단의 음악적 특징 표현에 유의하여 연습해 보세요.

94　　임용 국악실기교재(가칭)

금다래꿍

중중모리장단

백대웅 편보 · 서도 민요

받는 소리
금 다래 - 꿍　　　금 다래 - 꿍　　　금 다래꿍 금 다래꿍 금 - 다라졌 네

메기는 소리 1.
보고 - 지 고　　보 고 지 - 고　　이 옥 녀 아가씨 가 보고 - 지 - 고

받는 소리
금 다래 - 꿍　　　금 다래 - 꿍　　　금 다래꿍 금 다래꿍 금 - 다라졌 네

메기는 소리 2.
천 지　만 물　생 긴 후 - 에　　부 모 - 밖에 - 또 있 나 요

받는 소리
금 다래 - 꿍　　　금 다래 - 꿍　　　금 다래꿍 금 다래꿍 금 - 다라졌 네

'금다래꿍'은 황해도 황주 지역에 전해 내려오는 전설을 담은 민요입니다. 금다래꿍은 황주의 금다래봉을 뜻하며 남녀의 애달픈 사랑을 노래합니다.

연습 TIP　시김새가 주는 음악적 느낌과 반수심가토리와 중중모리장단의 음악적 특징 표현에 유의하여 연습해 보세요.

쾌지나칭칭나네

국립국악원 편보 · 동부 민요

'쾌지나칭칭나네'는 '월월이청청소리', '치기나칭칭나네', '꽹과리소리' 등이 유래라는 설이 있습니다.

연습 TIP 받는 소리는 동일한 선율이 반복되고 메기는 소리 또한 유사하게 진행됩니다. 메나리토리와 긴자진 형식에 따른 장단의 한배 변화의 특징에 유의하여 연습해 보세요. 메나리토리와 굿거리장단에서 자진모리장단으로 진행되는 긴자진형식의 음악적 특징 표현에 유의하여 연습해 보세요.

통영개타령

자진타령장단

국립국악원 편보 · 동부 민요

개 야 - 개 야 - 검 둥 - 개 야 - 개 - 야개야 검 둥 - 개 야

개 - 야개 야검 둥 - 개 야 가 랑 잎 만 달 싹 해 도 짖 - - 는 - - 개 야 -

청 사 - 초 롱 - 불 밝 - 혀 라 - 우 리 님 이 오 시 거 든

개 - 야개 야검 둥 - 개 야 개 - 야개 야검 둥 - 개 야 짖 - - 지 - 를 마 라 -

짖 - - 지 - 를 마 라 - 멍 멍 - 멍 멍 - 짖 - - 지 - 를 마 라 -

'통영개타령'은 개 짖는 소리를 익살스럽게 묘사한 노랫말이 특징인 경상도 민요입니다. 기다리는 임이 찾아
왔을 때 개 짖는 소리에 놀랄까 걱정하는 마음을 담았습니다.

연습 TIP 메나리토리와 자진타령장단의 음악적 특징 표현에 유의하여 연습해 보세요.

신고산타령

국립국악원 편보 · 동부 민요

자진모리장단

메기는 소리

가을바람 소슬하니 낙엽이우수수지고 - 요 - -
삼수갑산 머루다래 얼크러설크러졌는 - 데 - -

귀뚜라미 - - 슬피울어 고향 - 생각이나누 - 나 - -
가지가 지 - - 산새들이 절로 - 쌍쌍이나누 - 나 - -

받는 소리

어랑 어랑 어허야 어허 야 - - 더허 야

그리운내고향이로 - 다 - - - - - -

'신고산타령'은 '어랑타령'으로 혼용되어 불리는 함경도 민요입니다. 개화기를 배경으로 현대 문명에 대한 반발과 시골 처녀의 마음이 들뜨기 시작한다는 내용을 표현하고 있습니다. 점차 하강하는 선율이 특징적이며 함경도 민요이지만 서울·경기 지역의 음악적 특징이 나타나기도 합니다.

연습 TIP 메나리토리와 자진모리장단의 음악적 특징 표현에 유의하여 연습해 보세요.

한오백년

중모리장단　　　　　　　　　　　　　　　　　　　　　　　　　　　　　　　국립국악원 편보 · 동부 민요

받는 소리

아 무 렴　　그 렇 - 지 - 그 렇 구 - - 말 - 구 - - -　　- - -

한 오 백　년 - 살 자 는 - 데 - - 웬　성 - 화 - - 요　-

메기는 소리

한 많 은　　이 세 상　　야 속 한 - - 님 - 아 - - -　　- - -
뒷 동 산　　후 원 에　　칠 성 단 을 - 보 - 고 - - -　　- - -

정 을 두 - 고 - 몸 만 가 - 니 - - 눈 물 이 - 나 - - 네　-
우 리 부 모 님 - 만 수 무 강 을 - - 빌 - 어 - 보 - - 자　-

'한오백년'은 강원도 민요 '긴아라리'를 모곡으로 파생된 노래이지만 새롭게 만들어졌으며, '강원도아리랑', '정선아리랑'과 함께 강원도의 특유 정서가 잘 표현된 민요입니다. 가락과 사설이 한을 읊으면서도 생생한 흥겨 움이 있습니다.

연습 TIP　받는 소리와 메기는 소리의 흐름이 받는 소리는 낮은 음으로(1마디) 메기는 소리는 높은 음으로(3마디) 시작하고 있는 것을 제외하고 유사한 선율로 진행됩니다. 메나리토리와 중모리장단의 음악적 특징 표현에 유의하여 연습해 보세요.

강강술래

국립국악원 편보 · 남도 민요

중모리장단

받는 소리
강 강 – 술 래 – – – – – – 강 강 – – – 술 – – 래

메기는 소리
산 아 – 산 아 – 추 – 영 – 산 – 아 –

놀 – 기 좋 – 다 – – – 유 – – 달 – – 산 아

받는 소리
강 강 – 술 래 – – – – – – 강 강 – – – 술 – – 래

메기는 소리
꽃 이 – 피 면 – – – 화 – 산 – – 이 – 요 –

잎 이 – – – – 지 면 – – – 청 – 산 – – 이 라

자진모리장단

받는 소리
강 강 - 술 래 강 강 - - 술 래

메기는 소리
달 떠 온 다 달 떠 온 다 우 리 마 - 을 달 떠 - 온 - 다

받는 소리
강 강 - 술 래 강 강 - - 술 래

메기는 소리
푸 릇 - 푸 릇 봄 배 추 는 - 이 - 슬 오 기 만 기 다 - 린 - 다

　'강강술래'는 전남 해안 지역에서 전해져 내려오던 민속놀이인 강강술래를 하며 부르는 민요로 우리 고유의 정서, 말, 리듬이 잘 담겨있습니다. 느린 장단으로 시작하여 돌면서 노래를 부르고 춤을 추다가 분위기가 고조됨에 따라 박자가 빨라지며 빠른 장단으로 변화하는 특징을 갖고 있습니다. 육자배기토리의 특징을 지니고 있으며 중모리장단으로 구성되어 있습니다.

연습 TIP 육자배기토리와 중모리장단에서 중중모리장단을 변화하는 긴자진형식의 음악적 특징 표현에 유의하여 연습해 보세요.

새타령

자진중중모리장단

국립국악원 편보 · 남도 민요

삼 월 삼 짇 날 연 - 자 날 아 들 고 호 접 은 편 편 나 무 나 무 속 - 잎 나

가 지 꽃 피 었 다 춘 몽 은 떨 쳐 원 - 산 은 암 암 근 - 산 은 중 - 중

기 암 은 층 층 뫼 산 이 울 어 - 천 - 리 시 내 는 청 산 으 로 돌 고

이 골 물 이 주 루 루 루 루 루 저 골 물 이 콸 콸 열 의 열 두 골 물 이 한 데 로 합 수 - 쳐

천 방 자 지 방 자 월 턱 쳐 구 부 쳐 방 울 이 버 큼 - 져 건 너 병 풍 석 에 다

마 주 쾅 - 쾅 마 주 때 려 산 이 울 렁 거 려 - 떠 나 간 - 다

어 디 메 - 로 - 가 잔 말 아 마 - 도 네 - 로 구 나 - 이 런 - 경 치 가 또 있 나 -

느린 중중모리장단

새 가 날아든 - 다 웬 갖 - 잡 새 가 날아든 다

새 중에 - 는 - 봉 황 - 새 만 수 문 전 의 풍 - 년 - - - 새

산 고 - 곡 심 무 인 - - - 처 - - - 춘 림 - 비 조 - 뭇 새 들 - - 이

농 춘 화 답 에 짝 - 을 - - - 지 - 어 쌍 - 거 쌍 - 래 날아든 다

'새타령'은 남도 잡가*로도 분류되는 대표적인 남도 민요입니다. 화창한 봄날 즐겁게 지저귀는 새들의 모습과 새들의 모양을 격조 있게 표현하기도 하고 의성어로 노래하여 흥취를 자아냅니다. 교과서의 구분에 따르면 서창(자진중중모리)과 본창(느린 중중모리)으로 구분할 수 있으며, 전문 소리꾼들은 중중모리와 중모리로 구분하기도 합니다.

연습 TIP 육자배기토리와 긴자진형식에 따른 장단 변화의 음악적 장단변화에 유의하여 연습해 보세요. 특히 사설을 사실적인 음악으로 표현한 부분(7, 11마디), 자진중중모리에서 느린 중중모리로 넘어가는 마지막 마디(15마디)를 조금 느려서 마무리하고 느린 중중모리를 시작하는 부분에 유의하여 연습해 보세요.

---

* 전문 소리꾼들이 부르는 노래로 긴 사설을 얹어 부르는 민속적인 성악곡의 하나로 여러 내용이 섞였다는 뜻에서 잡가라고 명했습니다.

농부가

중모리장단

국립국악원 편보 · 남도 민요

받는 소리

어 여 -여 --여 -루 상 사 - -디 -요

메기는 소리

여보시오농부님네 - 이 내말을 - 들어보 소 아 - 나 농부 야 말 들 어 요

남 훈 - 전 달 -밝 은 -밤 순 임 - - 금 의 - -놀 -음 이 요 -

학 창 의 푸른 -대 솔 은 산 신 님 의 놀 음 이 요 -

오 뉴 월 이 당 도 - - -하 면 우 리 농 부 시 절 이 라

패 랭 이 꼭 지 에 - 가 -화 를 꼿 고 -서

마 구 잡 이 - 춤 이 -나 추 어 보 세

받는 소리

어 여 -여 --여 -루 상 사 - -디 -요

중중모리장단

받는 소리
어 – 화 어 화 여 – 루 상 – 사 디 – 요

메기는 소리
아 –나 농 부 말 들 어 아 –나 농 부 야 말 들 어

서 마 지 기 논 베 미 가 반 –달 만 –큼 남 았 네

지 가 무 슨 반 달 이 냐 초 생 달 –이 반 –달 이 로 다

받는 소리
어 – 화 어 화 여 – 루 상 – 사 디 – 요

'농부가'는 농사꾼이 모를 심거나 김을 맬 때 부르는 노동요입니다. 김창환 명창이 판소리 춘향가에 삽입하여 부르면서 널리 알려졌습니다. 중모리장단에서 자진모리장단으로 변하는 한 배의 변화가 있는 긴자진형식이 특징입니다. '자진농부가'와 짝을 이루어 긴자진형식으로 부르는 노래입니다.

연습 TIP 육자배기토리와 긴자진형식에 따른 장단 변화의 음악적 특징 표현에 유의하여 연습해 보세요.

너영나영

세마치장단

국립국악원 편보 · 제주 민요

1. 아 - 침 에 우 - 는새 는 배 가 고 파 울 - 고 요
2. 높 - 은 산 상 - - 상 봉 외 - 로 운 소 - 나 무

저 - 녁 에 우 - 는새 는 님 이 그 리 워 - - 운 다
누 - 구 를 믿 - - 고 서 왜 - 홀 로 앉 - - 았 나

너 - 영 - 나 - - - 영 두 리 둥 실 놀 - 고 요

낮 에 낮 에 나 밤 - 에 밤 에 나 내 사 랑 이 로 - - 구 나

'너영나영'은 제주 방언으로 너하고 나하고 함께 어울린다는 의미입니다. 음악적 구조가 명쾌하고 창법도 선명하여 누구나 쉽게 부를 수 있는 단순하면서도 흥겨운 가락의 민요로 제주 소리꾼들이 경기 민요 가락을 모방하여 만든 민요입니다. 세마치장단으로 구성되어 있습니다.

연습 TIP 메기는 소리와 받는 소리가 거의 유사하게 진행됩니다. 세마치장단의 음악적 특징 표현에 유의하여 연습해 보세요.

서우젯소리

'서우젯소리'는 굿할 때 부르는 무속 음악으로 제주도의 여러 가지 정황 역사 지리적 환경, 생활 환경 등을 담은 민요입니다. 본래 무속에서 부르는 무가로 농업 노동요, 유희요('서우젯소리'만의 특징)로도 불립니다. 선율이 유연하고 명쾌하며 구성이 있습니다. 굿거리장단으로 구성되어 있습니다.

연습 TIP 메기는 소리는 비교적 단순한 선율로 반복되지만 받는 소리와 굿거리장단의 음악적 특징 표현에 유의해서 연습해 보세요.

오돌또기

굿거리장단

백대웅 채보 · 제주 민요

1. 오 돌 - 또 - - - - 기 저 - 기 춘 향 - 나 - 온 다
2. 한 라 산 중 허 - - 리 - 시 러 미 익 은 둥 - 만 - - - 둥

달 - 도 밝 - - - 고 내 가 머 리 로 길 - 까 나
서 귀 포 바 - - 다 - 에 해 녀 가 드 는 둥 만 - - 둥

둥 그 대 당 실 둥 그 대 당 실 여 - 도 당 실 연 자 - 버 리 고

달 - 도 - 밝 - - - 고 내 가 머 리 로 길 - 까 나

'오돌또기'는 판소리, 봉산 탈춤, 수영야류 등에서 사용되던 가락이 제주에 유입되어 정착된 민요입니다. 여흥을 즐길 때 불렀던 유희요이며 아름다운 자연 경치가 사설에 등장하기도 합니다.

연습 TIP 메기는 소리(3-4마디)와 받는 소리(7-8마디)가 동일하게 진행됩니다. 굿거리장단의 음악적 특징 표현에 유의하여 연습해 보세요.

이어도사나

자진모리장단

백대웅 채보 · 제주 민요

이 어 도 사 나 - 아 - 아 - 이 어 도 사 나 아 - - 아 이 어 도 사 나

이 어 도 사 나 - 노 를 저 어 - 어 - 어 - 어 딜 가 고 오 -

진 도 바 다 아 - 홀 로 나 가 자 아 - 이 어 도 사 나

'이어도사나'는 노를 저을 때 내는 여음으로 '해녀노래', '해녀배젓는소리'라고도 불립니다. 제주도에서 해녀들이 배를 타고 바다로 나갈 때 부르는 민요로 이별이 없는 영원한 이상향에 대한 염원을 노래합니다. 경기 민요와 같이 밝고 경쾌한 것이 특징으로 장단은 중중모리나 자진모리로 구분되며 메기고 받는 형식을 활용하는 합창곡으로도 활용됩니다.

연습 TIP 1~2마디와 5~6마디, 3~4와 7~9마디가 유사하게 진행됩니다. 자진모리장단의 음악적 특징 표현에 유의하여 연습해 보세요.

임용 국악 실기

발행일 2019년 4월 30일
저자 김승우, 허봉수, 김예진

편집책임 윤영란 • **편집진행** 성민아, 여성은 • **디자인** 이효정
마케팅 현석호, 신창식 • **재무관리** 남영애, 한지윤

발행처 (주)태림스코어
발행인 최우진
출판등록 2012년 6월 7일 제 313-2012-196호
주소 서울시 마포구 동교로 13길 34 (04003)
전화 02)333-3705 • **팩스** 02)333-3748

ISBN 979-11-5780-225-8-13670